Cant Cymru

Argraffiad cyntaf: Gorffennaf 1998
⊕ Hawlfraint Dafydd Andrews a'r Lolfa Cyf., 1998

Lluniau: Jane Trudgill a'r awdur

Rhif Llyfr Rhyngwladol: 0 86243 451 3

Cyhoeddwyd yng Nghymru
ac argraffwyd ar bapur di-asid a rhannol eilgylch
gan Y Lolfa Cyf., Talybont, Ceredigion SY24 5AP
ffôn (01970) 832 304;
ffacs 832 782
isdn 832 813
e-bost ylolfa@ylolfa.com
y we www.ylolfa.com

Cant Cymru

**Teithiau cerdded i
gopaon uchaf ein gwlad**

y Lolfa

RHYBUDD

Dylai unrhyw un sydd yn mentro i fynyddoedd Cymru wybod sut i ddarllen map a sut i ddefnyddio cwmpawd. Bwriedir i'r llyfr hwn gael ei ddefnyddio *gyda* map ac nid yn ei le. Mae'r llyfr yn disgrifio'r teithiau i ben mynyddoedd Cymru dan amgylchiadau ffafriol – hynny yw, pan fo'n ddigon clir i rywun weld ei ffordd a phan nad yw'r mynyddoedd dan eira neu rew. Mae angen bod yn ofalus yn y mynyddoedd bob amser. Yn ystod y gaeaf, lle i gerddwyr a dringwyr profiadol yw mynyddoedd uchaf Cymru.

Cynnwys

Rhagarweiniad

Cymru yw un o wledydd prydferthaf y byd ac un o'i nodweddion amlycaf yw ei bryniau a'i mynyddoedd. Mae'r mynyddoedd yn denu llawer o gerddwyr drwy'r flwyddyn. Os ewch i Eryri unrhyw benwythnos fe welwch lawer o geir yn llenwi'r meysydd parcio wrth droed ei mynyddoedd. Ni chyfyngir y diddordeb yng ngherdded mynyddoedd Cymru i Eryri, wrth gwrs, er bod tuedd ddigon naturiol i bobl heidio yno i weld y mynyddoedd mwyaf creigiog a thrawiadol – a'r uchaf hefyd.

Hyd yn oed o fewn Parc Cenedlaethol Eryri mae rhai mynyddoedd yn fwy poblogaidd na'i gilydd. Mae'r Wyddfa, yn naturiol ddigon, yn denu mwy o gerddwyr ac ymwelwyr nag unrhyw fynydd arall yng Nghymru. Hi wedi'r cyfan yw'r mynydd uchaf yng Nghymru ac mae'n uwch o dipyn nag unrhyw fynydd yn Lloegr hefyd. Ni waeth pa mor aml yr ewch i ben yr Wyddfa, na pha bryd – ddydd neu nos, haf neu aeaf – mae bron yn sicr y bydd eraill yno hefyd. Ac mae'r un peth yn wir am Dryfan, y mynydd godidog a thrawiadol hwnnw sydd yn croesawu ymwelwyr a ddaw ar hyd yr A5 o gyfeiriad Capel Curig. Tryfan yw'r lleiaf o fynyddoedd Cymru sydd dros 3000 troedfedd –

Tryfan

ffigwr sydd yn arwyddocaol ymhlith cerddwyr mynyddoedd Prydain – ond mae ei ffurf a'i greigiau yn denu'r llygad ar unwaith. Go brin y cewch chi fyth gopa Tryfan, mwy na chopa'r Wyddfa, i chi eich hun.

Mae tuedd i gerddwyr dyrru i bennau dyrnaid bach o fynyddoedd poblogaidd fel yr Wyddfa a Thryfan gan adael rhai o fynyddoedd eraill Eryri yn gymharol dawel. Mae goblygiadau i hyn o ran erydiad hefyd, wrth gwrs. Un o amcanion y llyfr hwn yw ceisio denu cerddwyr i gopaon mynyddoedd eraill ein gwlad. Ac nid mynyddoedd Eryri yn unig ychwaith. Mae Cant Cymru wedi eu gwasgaru ar hyd a lled y wlad ac o'u dringo i gyd cewch gyfle i grwydro Cymru gyfan.

Mae unrhyw un sydd yn gyfarwydd â mynydda ym Mhrydain yn debygol o fod wedi clywed am y 'Munros' – sef, yn fras, y mynyddoedd hynny yn yr Alban sydd dros 3000 o droedfeddi o uchder ac a restrwyd gyntaf gan Syr Hugh Munro ym 1891. Dros y blynyddoedd, adolygwyd ei restr wreiddiol ef fwy nag unwaith. Gwnaed yr adolygiad diweddaraf ym 1997 ac erbyn hyn 284 o'r mynyddoedd hyn sydd ar restr swyddogol Clwb Mynydda'r Alban. Mae nifer o lyfrau ar gael bellach sydd yn rhestru'r mynyddoedd hyn (er bod nifer ohonynt yn cynnwys y 277 o fynyddoedd oedd ar y rhestr swyddogol cyn adolygiad 1997) ac mae'r her o geisio cyrraedd eu copaon i gyd wedi tanio dychymyg llawer o gerddwyr a mynyddwyr ledled gwledydd Prydain. Ond hyd yn oed i rai sydd yn byw yn yr Alban mae hyn yn golygu llawer iawn o deithio. I rai sydd yn gorfod teithio o Gymru mae'r her o ddringo pob Munro yn ystod eich oes gymaint yn fwy anodd. Syniad arall oedd wrth wraidd y llyfr hwn, felly, oedd creu her fynydda – her ar raddfa lai na dringo'r Munros, mae'n wir – nes adref gan ddewis mynyddoedd uchaf ein gwlad ein hunain. Dyna yw 'Cant Cymru'.

Bu dadlau brwd, a dweud y lleiaf, ynghylch diffinio'r gair 'mynydd' a phenderfynu pa fynyddoedd y dylid eu cyfrif ymhlith y Munros, a byddai'n rhaid i rywun ddweud bod ambell benderfyniad go od wedi ei wneud dros y blynyddoedd. Pan wnaed adolygiad 1997 newidiwyd y diffiniadau sylfaenol unwaith eto. Mater o fympwy, yn y pen draw, yw'r pethau hyn ac wrth lunio'r llyfr hwn roeddwn yn awyddus i osgoi'r math o ymgecru diffrwyth a welwyd yn yr Alban. Mewn gwirionedd, mae'r rhan fwyaf o'r mynyddoedd a restrir ymhlith y Cant yn eu dewis eu hunain ac ni fyddai unrhyw un yn amau eu bod yn deilwng o'u lle. At waelod fy rhestr i, fodd bynnag, mae ambell fynydd nad yw'n arbennig o drawiadol a diau y byddai rhai'n dweud y gellid bod wedi cynnwys mynyddoedd is sydd yn fwy o her. Ond dilynais yr egwyddor gyffredinol y dylid cynnwys y mynyddoedd *uchaf.*

Dim ond i rywun gymharu'r mynyddoedd a restrir mewn dau lyfr tra defnyddiol am fynyddoedd Cymru, sef *The Summits of Snowdonia* gan

Terry Marsh a *The Mountains of England and Wales, Volume 1: Wales* gan John ac Anne Nuttall, ac fe welir ar unwaith fod anghytundeb am fynyddoedd Cymru hefyd. Dengys y ddau lyfr fod perygl mewn ceisio diffinio 'mynydd' yn ôl rhyw fformiwla led fathemategol, ond mae'n rhaid dweud bod tipyn mwy o synnwyr cyffredin yn llyfr Terry Marsh nag yn llyfr y ddau Nuttall. Mae'r dull mathemategol wedi esgor ar restrau eraill o fynyddoedd Cymru – bydd rhai'n gwybod am y 'Marilyns' a'r 'Hewitts', er enghraifft – ond drwg mawr y dull hwn yw ei fod yn anwybyddu ffactorau na ellir eu mesur: ffurf y mynydd, ei apêl i'r llygad, y teimlad a ysgogir ganddo, barn pobl leol, ac yn y blaen. A ddylid cyfrif Garnedd Uchaf yn fynydd? Ai 14 neu 15 o fynyddoedd dros 3000 o droedfeddi sydd yng Nghymru? Yn y pen draw, nid mater y gellir ei benderfynu â phren mesur yw hwn.

Ar yr olwg gyntaf mae llyfr y ddau Nuttall yn ymddangos yn fanwl a thrwyadl, ac mae'n rhaid canmol eu gwaith ymchwil i hanes gwahanol ardaloedd Cymru. Ond cyn hir rydych yn dechrau teimlo nad ydych yng nghwmni rhai sydd yn gyfarwydd â *Chymru* – er eu bod wedi cerdded ei mynyddoedd – ac mai pethau i'w mesur yn unig yw mynyddoedd yn eu golwg hwy. Pe rhoddid ystyriaeth lawnach i enwau'r mynyddoedd, i farn y trigolion ac i'r ffordd y mae'r rhai sydd yn gyfarwydd â Chymru yn 'gweld' ei mynyddoedd, byddai'r rhestr yn wahanol iawn, a gellid bod wedi osgoi ambell nonsens. A yw pobl Llanberis yn ystyried bod Llechog yn fynydd ar wahân i'r Wyddfa? A yw cerddwyr Cymru yn meddwl eu bod yn mynd i ben *dau* fynydd pan ânt i ben Y Lliwedd – tri o gofio bod y llyfr yn rhestru Lliwedd Bach fel mynydd ar wahân hefyd? Fe glywch bobl yn dweud eu bod yn mynd i ben yr Aran neu'r ddwy Aran, ond yng ngolwg y Nuttalls mae yma *dri* mynydd! Troir Cadair Bronwen yn ddau fynydd ac Ysgafell Wen yn dri. Problemau neu anghysondebau yw'r rhain sydd yn codi'n rhannol oherwydd diffyg ymwybod ag amodau lleol ond yn bennaf oherwydd bod eu diffiniad mympwyol eu hunain wedi eu dallu. Yn rhifyn gwanwyn 1997 o *Rambling Today,* cylchgrawn Cymdeithas y Cerddwyr, cyfaddefant eu bod wedi gwneud camgymeriad yn eu llyfr yn achos Cnicht. Bydd trigolion Croesor yn falch o wybod bod eu Matterhorn hwy yn *ddau* fynydd bellach!

Dewis y Teithiau

Fel y dywedwyd eisoes, nod y llyfr hwn yw cyflwyno mynyddoedd uchaf Cymru. Ceisiwyd amrywio'r teithiau o ran eu hyd. Fe welir bod y llyfr yn cynnwys rhai teithiau sydd yn ymweld ag un mynydd yn unig tra mae eraill yn ymweld â sawl mynydd. Ond fe welir hefyd ei bod yn bosibl cyfuno nifer o'r teithiau i fynyddoedd unigol cyfagos gan eu bod yn gorgyffwrdd. Yn yr un modd, gellir rhannu rhai teithiau hir yn ddwy neu dair ac mae'r cyfarwyddiadau'n cynnwys awgrymiadau ar gyfer hyn. Dylai hyd yn oed y 'puryddion' sydd am ddringo pob mynydd unigol ar wahân – o'r dyffryn i'r copa – fedru gwneud hynny.

Yn gyffredinol, dewiswyd y ffordd rwyddaf neu'r fwyaf amlwg i gyrraedd copaon y Cant. Mae'n sicr y byddai'n well gan rai ddewis teithiau mwy anturus ac anodd i ben ambell fynydd – cefnen ogleddol Tryfan, er enghraifft – ond o gofio bod lefel pawb yn wahanol, bernais y dylid dewis taith a fyddai o fewn gallu'r rhan fwyaf o gerddwyr. Dylid cofio na fwriedir i'r teithiau a ddisgrifir yma gael eu defnyddio ar eu pennau eu hunain, ond bod angen map hefyd a gwybod sut i'w ddarllen.

Sut i ddefnyddio'r llyfr hwn

Rhannwyd mynyddoedd Cymru yn bedwar ar ddeg o grwpiau a thrafodir pob grŵp yn ei adran ei hun. Trefnwyd yr adrannau yn ddilyniant o'r gogledd i'r de (ac o'r dwyrain i'r gorllewin pan fônt ar yr un 'lefel'). Ar ddechrau pob adran ceir disgrifiad cyffredinol cryno o'r mynyddoedd sydd yn y grŵp.

O fewn pob adran gwelir teithiau unigol a all gynnwys un neu ragor o'r mynyddoedd. Ar gyfer pob taith unigol ceir y wybodaeth ganlynol:

Mynydd: dan y pennawd hwn ceir enw'r mynydd(oedd), uchder y mynydd(oedd) mewn troedfeddi a metrau, rhif y mynydd(oedd) yn rhestr uchder y Cant (mewn cromfachau).

Map: yma rhoddir rhifau'r mapiau graddfa 1:50 000 ac 1:25 000 perthnasol a chyfeirnod grid (CG) copa'r mynydd(oedd). Defnyddir y byrfoddau canlynol:

MO: Map yr Ordnans, sef mapiau clawr coch, graddfa 1:50 000 y Llywodraeth;

OL: *'Outdoor Leisure'*, mapiau clawr melyn, graddfa 1:25 000 y Llywodraeth;

P: *'Pathfinder'*, mapiau clawr gwyrdd, graddfa 1:25 000 y Llywodraeth a ddefnyddir pan nad oes map OL ar gael ar gyfer yr ardal dan sylw.

Man Cychwyn: yn cynnwys Cyfeirnod Grid a manylion am le i barcio car.

Pellter ac **Esgyniad:** sef amcangyfrif o hyd y daith a ddisgrifir a faint o waith esgyn sydd. Dylid cofio bod y ffigwr ar gyfer esgyn yn mynd i effeithio ar faint o amser a gymerir.

Amser: gan fod cyflymder cerdded pawb yn wahanol, at bwrpas cymharu yn unig mae'r ffigyrau a roddir dan y pennawd hwn. Ond ceisiwyd bod yn gyson, ac ar ôl cerdded ychydig o'r teithiau hyn bydd gan gerddwyr unigol amcan o'u lle ar y raddfa.

Yna ceir disgrifiad bras o'r daith. Cyfeirir at nodweddion sydd yn glir ar fapiau 1:50 000 y Llywodraeth ac ni ddefnyddir unrhyw enwau nad ydynt ar y mapiau hynny. Ambell dro, fodd bynnag, ychwanegir mewn cromfachau enw a welir ar y mapiau 1:25 000 mwy manwl, pan allai hynny fod o ddefnydd.

Dylid cofio nad yw'r ffaith bod taith yn ymddangos yn y llyfr hwn yn golygu'n awtomatig fod hawliau tramwy'n bodoli. Mae'r mwyafrif mawr o'r teithiau hyn ar lwybrau cyhoeddus neu mewn mannau lle mae'r rhyddid i gerdded yn draddodiad sefydlog. Ceir cyfeiriadau yn y testun at unrhyw ardaloedd lle bu anghydweld ynghylch materion mynediad. Dylid cofio hefyd y gall amgylchiadau newid yn sydyn a byddai'n dda gan yr awdur gael gwybod am unrhyw anawsterau a gaiff defnyddwyr y llyfr hwn.

Er gwaethaf y demtasiwn gref i newid ffurf enwau rhai o'r mynyddoedd a welir ar fapiau'r Llywodraeth, ni wnaed hynny oni bai bod gwall amlwg. Mae hyn yn golygu fy mod wedi cadw ffurfiau treigledig fel Foel Fras ac fe'u defnyddir nid yn unig yn y rhestrau ar ddiwedd y llyfr ond trwy gydol y testun hefyd, a hynny heb ychwanegu'r fannod na gwneud unrhyw newid arall. Beth bynnag am y dadleuon ieithyddol o blaid neu yn erbyn y dull hwn, mae iddo'r fantais o fod yn gyson â llyfrau eraill am fynyddoedd Cymru.

Hoffwn ddiolch yn y fan hon i wasg y Lolfa am eu cymorth a'u cefnogaeth arferol a hefyd i nifer o bobl eraill yr wyf yn ddyledus iddynt am eu cymorth a'u cwmni tra roeddwn wrthi'n llunio'r gyfrol hon – fy ngwraig Jane yn bennaf, ei rhieni Peter a Juliet Trudgill, a Menna Hughes a wnaeth ambell gymwynas ac ambell awgrym werthfawr. Diolch hefyd i nifer o ffrindiau a pherthnasau a ddangosodd ddiddordeb yn y llyfr.

1. Y Carneddau

Rhwng Llyn Ogwen yn y de a'r môr yn y gogledd, rhwng Bethesda yn y gorllewin a Dyffryn Conwy yn y dwyrain, mae grŵp mawr o fynyddoedd a adwaenir bellach wrth yr enw 'Y Carneddau'. Mae nifer o fynyddoedd uchaf Cymru yn y grŵp godidog hwn. Yn eu plith mae Carnedd Llewelyn a Charnedd Dafydd, a enwyd ar ôl dau o dywysogion enwocaf Cymru, ac erbyn hyn mabwysiadwyd elfen gyntaf eu henw yn enw ar y grŵp cyfan. Yn gyffredinol, cerrig a chreigiau sy'n nodweddu mynyddoedd deheuol y grŵp — er bod yma lethrau glaswelltog hefyd. Ceir llynnoedd mawr, clogwyni dramatig a chefnen hir, uchel a rydd olygfeydd gwych i bob cyfeiriad. Mae mynyddoedd gogleddol y grŵp yn fwy glaswelltog ac yn haws dan draed, ac maent yn dawelach hefyd.

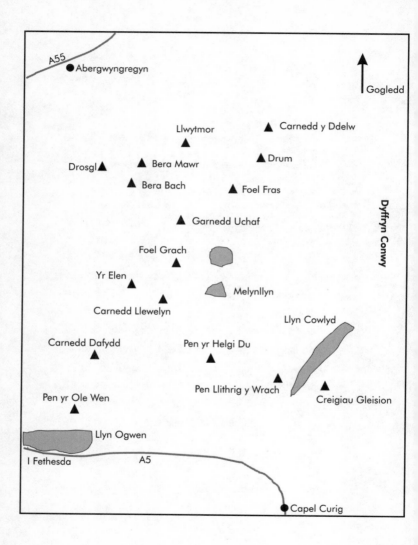

A55

● Abergwyngregyn

Gogledd

▲ Llwytmor

▲ Carnedd y Ddelw

▲ Drum

Drosgl ▲

▲ Bera Mawr

▲ Bera Bach

▲ Foel Fras

▲ Garnedd Uchaf

Foel Grach ▲

Dyffryn Conwy

Yr Elen ▲

▲ Melynllyn

Carnedd Llewelyn ▲

Llyn Cowlyd

Carnedd Dafydd ▲

Pen yr Helgi Du ▲

Pen yr Ole Wen ▲

Pen Llithrig y Wrach ▲

▲ Creigiau Gleision

Llyn Ogwen

I Fethesda   A5

● Capel Curig

Mynydd: Llwytmor, 2785 tr / 849 m (25)

Map: MO 115, OL 17: CG 689692

Man Cychwyn: Bont Newydd, ychydig i'r de-ddwyrain o Abergwyngregyn, CG 663720. Mae lle i nifer o geir.

Pellter: 6 milltir / 9.6 kilometr. **Esgyniad:** 2526 tr / 770 metr

Amser: 3-5 awr

Taith: Ewch drwy'r giât wrth y bont a dilyn yr afon at bont droed. Croeswch y bont droed a throi i'r dde ar hyd y llwybr llydan sydd yn arwain at y Rhaeadr-fawr. Ar ôl i chi basio dan y gwifrau trydan, cyn cyrraedd bwthyn Nant (CG 666713), fe welwch lwybr arall i'r chwith yn arwain i'r goedwig. Ewch drwy'r goedwig ar hyd y llwybr hwn a chroesi'r marian ym mhen pellaf y goedwig at y creigiau uwchben y Rhaeadr-fawr. Dilynwch Afon Goch at gorlan ddefaid ac oddi yno trowch i'r dwyrain gan ddringo llethrau glaswelltog i gyfeiriad y gwastadedd dan Lwytmor. Trowch wedyn i'r de-ddwyrain i gyrraedd y copa. Y garnedd fechan yw'r pwynt uchaf. O'r copa ewch i lawr i'r gorllewin-dde-orllewin gan osgoi'r creigiau, ac yn ôl at Afon Goch.

Mynydd: Bera Mawr, 2605 tr / 794 m (38); Bera Bach, 2648 tr / 807 m (33); Drosgl, 2487 tr / 758 m (49)

Map: MO 115, OL 17: CG 675683, CG 672677, CG 664680

Man Cychwyn: Bont Newydd, ychydig i'r de-ddwyrain o Abergwyngregyn, CG 663720. Mae lle i nifer o geir barcio.

Pellter: 7 milltir / 11.2 kilometr. **Esgyniad:** 2493 tr / 760 metr

Amser: 3-6 awr

Taith: Ewch drwy'r giât wrth y bont a dilyn yr afon at bont droed. Croeswch y bont droed a throi i'r dde ar hyd y llwybr llydan sydd yn arwain at y Rhaeadr-fawr. Ar ôl i chi basio dan y gwifrau trydan, cyn cyrraedd bwthyn Nant (CG 666713), fe welwch lwybr arall i'r chwith yn arwain i'r goedwig. Ewch drwy'r goedwig ar hyd y llwybr hwn a chroesi'r marian ym mhen pellaf y goedwig at y creigiau uwchlaw'r Rhaeadr-fawr. Dilynwch Afon Goch am ryw gan metr nes mae'r tir yn dechrau lefelu. Croeswch yr afon a dringo llethrau Bera Mawr i'r de-orllewin. Daw creigiau trawiadol Bera Mawr i'r golwg i'r de-ddwyrain ac mae llwybr aneglur ar hyd y gefnen yn arwain tuag atynt. Gellir dringo craig y copa yn hawdd ar yr ochr ogleddol. Oddi yma, fe welwch greigiau Bera Bach i'r de. Anelwch at ochr chwith (dwyrain) y creigiau hynny. O gopa Bera Bach fe welwch lwybr clir yn anelu am Drosgl i'r gorllewin. O gopa caregog Drosgl, dilynwch y gefnen ogleddol yn ôl i'r Warchodfa Natur gan gadw rhwng Afon Gam ac Afon Rhaeadr-bach. Croeswch y ffens wrth gamfa a throwch i'r dde. Wrth droed y Rhaeadr-fawr, croeswch yr afon a dychwelyd i Bont Newydd ar hyd y llwybr tua'r gogledd.

Mynydd: Foel Grach, 3202 tr / 976 m (8); Garnedd Uchaf, 3038 tr / 926 m (12); Foel Fras, 3091 tr / 942 m (11); Drum, 2526 tr / 770 m (45); Carnedd y Ddelw, 2257 tr / 688 m (82)

Map: MO 115, OL 17: CG 689659, CG 687669, CG 696682, CG 708696, CG 708705

Man Cychwyn: Cwm Eigiau, dair milltir i'r de-orllewin o Dal-y-bont Dyffryn Conwy, CG 732663. Mae maes parcio ar ddiwedd y ffordd.

Pellter: 11 milltir / 17.6 kilometr. **Esgyniad:** 2743 tr / 836 metr

Amser: 4-8 awr

Taith: Ewch dros y gamfa a dilyn y llwybr at lan ddeheuol Melynllyn. Dringwch i'r de-orllewin gan osgoi Craig Fawr i'r chwith (de). Pan fyddwch uwch y creigiau, trowch i'r gogledd-orllewin am gopa Foel Grach. Mae cwt achub dan greigiau'r copa. Gwaith hawdd yn awr yw cerdded tua'r gogledd i gopa'r Garnedd Uchaf ac oddi yno i'r gogledd-ddwyrain nes cyrraedd y wal sydd yn croesi copa caregog Foel Fras, y mwyaf gogleddol o'r mynyddoedd dros 3000 troedfedd. Gellid dychwelyd i'r maes parcio o'r fan hon trwy ddisgyn tua'r de-ddwyrain a dilyn Afon Garreg Wen at y llwybr i adfeilion Maeneira (CG 727673). Os ydych am gwblhau'r daith heddiw, fodd bynnag, mae llwybr da yn arwain dros laswellt byr i Drum i'r gogledd-ddwyrain ac ymlaen i Garnedd y Ddelw. Oddi yno, dychwelwch i ben Drum a throi i'r de-ddwyrain nes eich bod dan Ben y Castell. Trowch i'r de yn awr a dilyn Afon Ddu at y lle mae'n llifo i Afon Dulyn ac yna ddilyn y llwybr i Maeneira ac ymlaen i'r de i ailymuno â'r llwybr o'r maes parcio.

Mynydd: Carnedd Llewelyn, 3491 tr / 1064 m (3)

Map: MO 115, OL 17: CG 684644

Man Cychwyn: Yr A5 gyferbyn â phlanhigfa Glan Dena ychydig i'r dwyrain o Lyn Ogwen CG 668605. Mae lle i nifer fawr o geir ar ochr ddeheuol y ffordd.

Pellter: 6 milltir / 9.6 kilometr. **Esgyniad:** 2487 tr / 758 metr

Amser: 3-6 awr

Taith: Ewch ar hyd y ffordd drwy goedwig Glan Dena. Yn union cyn cyrraedd fferm Tal y Llyn Ogwen, mae arwydd yn eich cyfeirio i'r dde gan ddilyn wal gerrig at gamfa. Croeswch y gamfa. Dilynwch Afon Lloer, ar yr ochr ddwyreiniol i ddechrau ac yna'r ochr orllewinol, am tua hanner milltir (0.8 kilometr) dros lethrau serth a chroesi ail gamfa dan gefnen ddwyreiniol Pen yr Ole Wen. Wrth y tro yn yr afon cyn Ffynnon Lloer, mae'r llwybr yn dechrau lefelu mewn man lle mae'n dynn i'r afon (CG 666619). Croeswch yr afon yn y fan hon a cherddwch i'r gogledd dros y borfa (Rhos Bodesi) gan gadw i'r dwyrain o'r llechwedd caregog dan gopa Carnedd Dafydd. Wedi cyrraedd Cefn Ysgolion Duon a'i olygfa syfrdanol, trowch i'r dde a dilyn y llwybr i gyfeiriad Carnedd Llewelyn. Gellir osgoi'r mannau creigiog sydd ar y llwybr hwn trwy eu pasio ychydig yn is, i'r dde. Gwastadedd caregog anferth yw pen Carnedd Llewelyn ac mae lloches gerrig ar y pwynt uchaf.

Mynydd: Yr Elen, 3156 tr / 962 m (9)

Map: MO 115, OL 17: CG 674651

Man Cychwyn: Cyffordd yn ardal Gerlan, Bethesda CG 634663. Mae lle i barcio un neu ddau o geir wrth y gyffordd hon. **Gall y ddwy afon a enwir yma fod yn anodd eu croesi ar ôl glaw.**

Pellter: 6 milltir / 9.6 kilometr. **Esgyniad:** 2461 tr / 750 metr

Amser: 3-7 awr

Taith: O'r gyffordd dilynwch y ffordd fach i'r gogledd-ddwyrain. Mae sawl tro yn y ffordd ac ymhen rhyw hanner milltir (0.8 kilometr) cyrhaeddir y llwybr dan lethrau Gyrn Wigau sy'n troi i'r gogledd-ddwyrain unwaith eto. Dilynwch y llwybr hwn am ryw hanner milltir (0.8 kilometr) arall ac yna, cyn cyrraedd hen chwarel, trowch i'r de-ddwyrain i groesi Afon Caseg. Trowch i'r de-dde-ddwyrain yn awr ac anelu am gefnen orllewinol Yr Elen (Braich y Brisgyll) a'r smotyn uchder 512 ar y map 1:50 000. Dilynwch y gefnen am ychydig dros filltir (1.6 kilometr) i'r de-ddwyrain, dros Foel Ganol ac i gopa'r Elen. Y garnedd uwchben y gefnen ddwyreiniol yw'r man uchaf. I amrywio'r daith yn ôl gellid dychwelyd at y smotyn uchder 512 a throi i'r de, croesi Afon Llafar a dilyn y llwybr yn ôl i Gerlan.

Mynydd: Carnedd Dafydd, 3412 tr / 1044 m (4)

Map: MO 115, OL 17: CG 663630

Man Cychwyn: Yr A5 gyferbyn â phlanhigfa Glan Dena ychydig i'r dwyrain o Lyn Ogwen CG 668605. Mae lle i nifer fawr o geir ar ochr ddeheuol y ffordd.

Pellter: 4-5 milltir / 6.4-8 kilometr. **Esgyniad:** 2408 tr / 734 metr

Amser: 2-4 awr

Taith: Ewch ar hyd y ffordd drwy goedwig Glan Dena. Yn union cyn cyrraedd fferm Tal y Llyn Ogwen, mae arwydd yn eich cyfeirio i'r dde gan ddilyn wal gerrig at gamfa. Croeswch y gamfa. Dilynwch Afon Lloer, ar yr ochr ddwyreiniol i ddechrau ac yna'r ochr orllewinol, am tua hanner milltir (0.8 kilometr) dros lethrau serth a chroesi ail gamfa dan gefnen ddwyreiniol Pen yr Ole Wen. Wrth y tro yn yr afon cyn Ffynnon Lloer, mae'r llwybr yn dechrau lefelu mewn man lle mae'n dynn i'r afon (CG 666619). Croeswch yr afon yn y fan hon a cherddwch i'r gogledd dros y borfa (Rhos Bodesi) gan gadw i'r dwyrain o'r llechwedd caregog dan gopa Carnedd Dafydd. Wrth i chi gyrraedd Cefn Ysgolion Duon mae'r olygfa'n newid yn sydyn a daw Cwm Glas Mawr, creigiau Ysgolion Duon, Carnedd Llewelyn a llawer mwy i'r golwg. Trowch tua'r gorllewin a dilyn ymyl y clogwyn cyn dringo i gopa caregog Carnedd Dafydd. Yn hytrach na dychwelyd y ffordd y daethoch, gallech ddilyn y llwybr i'r de-orllewin o gwmpas Cwm Lloer, croesi Bwlch yr Ole Wen, mynd i gopa Pen yr Ole Wen a dilyn ei gefnen ddwyreiniol yn ôl at y tro yn Afon Lloer.

Map: MO 115, OL 17: CG 656619

Man Cychwyn: Yr A5 gyferbyn â phlanhigfa Glan Dena ychydig i'r dwyrain o Lyn Ogwen CG 668605. Mae lle i nifer fawr o geir ar ochr ddeheuol y ffordd.

Pellter: 3½ milltir / 5.6 kilometr. **Esgyniad:** 2192 tr / 668 metr

Amser: 2-4 awr

Taith: Ewch ar hyd y ffordd drwy goedwig Glan Dena. Yn union cyn cyrraedd fferm Tal y Llyn Ogwen, mae arwydd yn eich cyfeirio i'r dde gan ddilyn wal gerrig at gamfa. Croeswch y gamfa. Dilynwch Afon Lloer, ar yr ochr ddwyreiniol i ddechrau ac yna'r

ochr orllewinol, am tua hanner milltir (0.8 kilometr) dros lethrau serth a chroesi ail gamfa dan gefnen ddwyreiniol Pen yr Ole Wen. Wrth y tro yn yr afon cyn Ffynnon Lloer, mae'r llwybr yn dechrau lefelu mewn man lle mae'n dynn i'r afon (CG 666619). Ewch dros y codiad tir i'r chwith yn y fan hon a chroesi'r gwastadedd i gyfeiriad y gefnen. Nid oes llwybr amlwg i ddechrau ond mae'n gwella. Yn uchel ar y mynydd, mae ambell lwybr byr hwnt ac yma sydd yn cynnig cyfle i chi weld creigiau ochr ogleddol Pen yr Ole Wen a Chwm Lloer oddi tanoch. Dylid gochel rhag cael eich temtio i'r wyneb gogleddol hwn. Mae'r copa ei hun yn wastad a charegog a'r garnedd gerrig – nid y piler triongli – yw'r man uchaf.

Mynydd: Pen yr Helgi Du, 2733 tr / 833 m (26); Pen Llithrig y Wrach, 2592 tr / 790m (40)

Map: MO 115, OL 17: CG 698630, CG 716623

Man Cychwyn: Fferm Gwern Gof Isaf ar yr A5, tua 3 milltir (4.8 kilometr) i'r gogledd-orllewin o bentref Capel Curig, CG 685603. Codir tâl am barcio.

Pellter: 7 milltir / 11.2 kilometr. **Esgyniad:** 2461 tr / 750 metr

Amser: 3-6 awr

Taith: O'r maes parcio, er mwyn osgoi cerdded ar yr A5 brysur ewch i gyfeiriad ffermdy Gwern Gof Isaf a throi ar hyd hen ffordd Caergybi i gyfeiriad Helyg, CG 691602, lle gellir croesi'r ffordd fawr a dilyn ffordd arall i ffermydd Tal-y-braich. Ymhen tua thri chan metr rhaid gadael y ffordd hon a dilyn llwybr y gellid yn hawdd ei fethu. Wedi cychwyn ar hyd y ffordd, fe welwch adeilad oddi tanoch ar y dde ar ochr yr A5. Mae'n perthyn i glwb mynydda ac mae iddo faes parcio preifat. Wedi i chi fynd heibio i'r adeilad, mae'r ffordd yn croesi nant ac yna mae llecyn gwastad ar ochr y ffordd lle mae cerbydau fferm yn troi. Yn union ar ôl y llecyn gwastad hwn (CG 694603) gwelir llwybr aneglur yn cychwyn i'r gogledd-ddwyrain dros y gweundir gan anelu am gamfa dros wal gerrig yn y pellter. Wedi croesi'r gamfa, cadwch i'r un cyfeiriad nes cyrraedd pont dros y ffos sy'n cludo dŵr i Lyn Cowlyd yn y dwyrain. Croeswch y bont a dilyn cefnen hir Pen yr Helgi Du (sef Y Braich) i'r gogledd nes cyrraedd y copa lle mae carnedd fechan i ddangos y man uchaf. O'r copa trowch i'r de-ddwyrain i ddechrau ac ewch i lawr i Fwlch y Tri Marchog cyn dringo llethrau serth Pen Llithrig y Wrach. O gopa Pen Llithrig y Wrach ewch i lawr i'r de gan ddilyn ymyl y clogwyn nes cyrraedd pont yn y bwlch (Bwlch Cowlyd) lle mae'r ffos yn llifo i Lyn Cowlyd. Trowch i'r gorllewin yn awr a dilyn llwybr sydd yn troi i'r de ymhen rhyw dri chwarter milltir (1.2 kilometr) cyn croesi Afon Bedol (dros Bont y Bedol) i ffermdy Tal-y-braich isaf. Oddi yno dilynwch y llwybr i fferm Tal-y-braich uchaf yn y gorllewin, ac yno cyrhaeddir y ffordd sy'n arwain yn ôl i'r A5.

Pen yr Helgi Du a Phen Llithrig y Wrach

Pen Llithrig y Wrach a Chreigiau Gleision

Mynydd: Creigiau Gleision, 2224 tr / 678 m (89)

Map: MO 115, ÔL 17: CG 729615

Man Cychwyn: Pentref Capel Curig, CG 720582. Maes parcio ar yr hen ffordd i Gaergybi. Mae tâl am barcio.

Pellter: 8 milltir / 12.8 kilometr. **Esgyniad:** 2054 tr / 626 metr

Amser: 3-6 awr

Taith: O'r maes parcio, ewch yn ôl i'r A5 a'i chroesi. Ychydig i'r chwith o'r eglwys mae llwybr sydd yn dringo dros gae ac yna'n troi tua'r dwyrain. Dylid anwybyddu llwybrau llai sydd yn arwain at y creigiau gerllaw lle daw dringwyr i ymarfer. Mae'r llwybr yn mynd drwy goedwig ac yna'n mynd heibio i Glogwyn Mawr y gwelir ei greigiau yn glir ar y chwith. Wedi croesi nant (Nant y Geuallt, CG 732582) mae'r llwybr yn rhannu'n ddau. Trowch i'r chwith (gogledd-ddwyrain) yn awr ar hyd llwybr sy'n dilyn y nant i gwm llydan ac yn dringo'n araf iawn i'r bwlch uwchlaw Llyn Crafnant. Yn y bwlch mae'r llwybr yn rhannu'n ddau. Dilynwch y llwybr i'r chwith. Rhaid ei adael ar unwaith bron a throi i gyfeiriad llwybr arall sy'n dringo llethr serth i'r de-orllewin i ben Crimpiau. Oddi yno, mae Creigiau Gleision i'w weld i'r gogledd y tu hwnt i Graig Wen a phigyn arall. Mae'r llwybr yn anelu am ochr orllewinol Craig Wen. Wrth nesu at Graig Wen, fe ellwch, os dymunwch, adael y prif lwybr a dilyn llwybr arall neu ddringo dros y creigiau i ben Craig Wen ac ailymuno â'r prif lwybr oddi tanoch i'r gogledd lle mae'n croesi bwlch gwlyb (Bwlch Mignog) cyn mynd yn ei flaen tua'r gogledd i gyfeiriad Creigiau Gleision. Mae llecyn gwastad yn union dan gopa Creigiau Gleision. Oddi yno dringwch drwy'r creigiau i gyrraedd y garnedd ar y copa. Gellir amrywio'r daith yn ôl trwy anelu am y bwlch uwch pen deheuol Llyn Cowlyd (Bwlch Cowlyd) yn y de-orllewin. Yn gyntaf, dychwelwch i'r llecyn gwastad dan greigiau'r copa. Yna, trowch am Fwlch Cowlyd gan groesi llethr lle mae grug a glaswellt trwchus (Llethr Gwyn). O Fwlch Cowlyd, lle mae ffos yn llifo i Lyn Cowlyd, mae llwybr da sy'n mynd i lawr at yr A5 gan basio y tu ôl i fferm Tal-y-Waun. Wedi cyrraedd yr A5 trowch i'r chwith am Gapel Curig.

2. Y GLYDERAU

Rhwng Llyn Ogwen a Llanberis mae'r grŵp hwn o fynyddoedd. Fel yn achos y Carneddau, dau fynydd yn y grŵp sydd wedi rhoi eu henwau i'r grŵp cyfan, sef Glyder Fach a Glyder Fawr. Yn y grŵp hwn mae rhai o fynyddoedd mwyaf cofiadwy a mwyaf trawiadol Cymru. Mae gweld Tryfan am y tro cyntaf wrth deithio tua'r gorllewin ar hyd yr A5 yn brofiad cynhyrfus i'r sawl sydd yn mwynhau'r mynyddoedd. Gwelir ei wyneb gogleddol, creigiog fel petai'n codi'n syth o Lyn Ogwen ac mae'n cynnig her fynydda go iawn. Wrth nesu at Lyn Ogwen gwelir mynydd lluniaidd Y Garn a'i gefnennau yn ymestyn tuag atoch. Mae copaon y ddwy Glyder ynghudd, ond ymddengys y ddau fynydd fel wal o graig wrth i chi fynd heibio i'r Llyn. Creigiog yw'r mynyddoedd hyn ond mae Elidir Fawr a mynyddoedd Nant Ffrancon yn fwy glaswelltog.

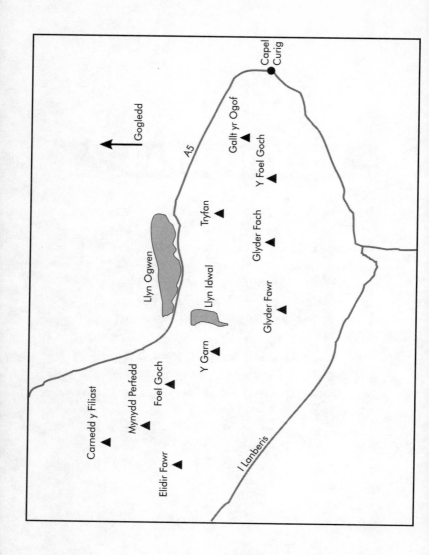

Gogledd

A5

Capel Curig

Gallt yr Ogof ◄

Y Foel Goch ◄

Tryfan ◄

Glyder Fach ◄

Llyn Ogwen

Llyn Idwal

Glyder Fawr ◄

Y Garn ◄

Foel Goch ◄

Mynydd Perfedd ◄

Carnedd y Filiast ◄

Elidir Fawr ◄

I Lanberis

26

Map: MO 115, OL 17: CG 664594

Man Cychwyn: Yr A5 wrth Hostel Ieuenctid Idwal Cottage, pen gorllewinol Llyn Ogwen, CG 650603. Mae maes parcio mawr. Codir tâl.

Pellter: 3 milltir / 5 kilometr. **Esgyniad:** 2007 tr / 612 metr

Amser: 2-4 awr

Taith: O'r maes parcio dilynwch y llwybr meini, a osodwyd i atal rhagor o erydiad, i'r de-ddwyrain i gyfeiriad Tryfan. Lle mae'r llwybr hwn yn troi i'r dde (de-orllewin) i gyfeiriad Llyn Idwal, ewch yn syth yn eich blaen dros laswellt a cherrig a dringo at Lyn Bochlwyd ar hyd llwybr gosod arall. Croeswch Nant Bochlwyd – y nant sydd yn llifo o'r Llyn i gyfeiriad yr A5 – a dilynwch y llwybr clir uwchlaw'r llyn i'r de-dde-ddwyrain. Wedi mynd heibio i ben y llyn, mae'r llwybr, sef Llwybr y Mwynwyr, yn troi i'r de-ddwyrain unwaith eto ac yn dechrau dringo dros lethr caregog i Fwlch Tryfan lle mae wal gerrig. O'r bwlch, trowch i'r gogledd. Fe welwch greigiau uchel o'ch blaen, sef Copa Deheuol Pellaf Tryfan. Rhaid osgoi'r rhain trwy wyro o'u cwmpas i'r chwith. Dringwch dros y cerrig mawr sy'n arwain at gopa Tryfan. Yno mae dwy garreg anferth, sef Adda ac Efa.

Mynydd: Glyder Fach, 3261 tr / 994 m (6)

Map: MO 115, OL 17: CG 656583

Man Cychwyn: Yr A5 wrth Hostel Ieuenctid Idwal Cottage, pen gorllewinol Llyn Ogwen, CG 650603. Mae maes parcio mawr. Codir tâl.

Pellter: 3½ milltir / 5.6 kilometr. **Esgyniad:** 2267 tr / 691 metr

Amser: 2-4 awr

Taith: O'r maes parcio, fel yn achos y daith i Dryfan, dilynwch y llwybr meini sydd yn mynd i'r de-ddwyrain ac a ddefnyddir gan gerddwyr a dringwyr i gyrraedd Cwm Idwal. Lle mae'r llwybr hwn yn troi i'r dde (de-orllewin) i gyfeiriad Llyn Idwal, ewch yn syth yn eich blaen dros laswellt a cherrig a dringo at Lyn Bochlwyd. Croeswch Nant Bochlwyd – y nant sy'n llifo o'r Llyn i gyfeiriad yr A5 – a dilynwch y llwybr clir i'r de-dde-ddwyrain dros dir gwastad ychydig uwchlaw'r llyn. Wrth gyrraedd pen pellaf y llyn, mae'r llwybr, sef Llwybr y Mwynwyr, yn troi i'r de-ddwyrain unwaith eto ac yn dechrau dringo i Fwlch Tryfan lle mae wal gerrig. Ewch dros un o'r camfeydd a throi i'r dde (de-orllewin). O ddilyn y wal, fe ddeuech at y grib greigiog a elwir *Bristley Ridge*. Gellir crafangu drosti i ben y mynydd ond haws i gerddwyr yw mynd dros y cerrig a'r marian serth i'r chwith. Mae copa eang, gwastad Glyder Fach yn gerrig i gyd a phentwr mawr o feini anferth yw'r man uchaf un. O'r copa ewch yn eich blaen tua'r de-orllewin ac osgoi pentwr anferthol Castell y Gwynt trwy fynd oddi tano i'r chwith ac o'i gwmpas. Wedi croesi Bwlch y Ddwy Gluder, dilynwch ymyl y creigiau nes cyrraedd Y Gribin, y gefnen sydd yn mynd i lawr tua'r gogledd. Mae rhan uchaf y gefnen yn greigiog ond yna cyrhaeddir tir haws o lawer a llwybr sydd yn mynd am Lyn Bochlwyd. Gallech ddilyn y llwybr hwn neu fynd yn syth yn eich blaen tua'r gogledd ac yn ôl at y llwybr i'r maes parcio.

Mynydd: Glyder Fawr, 3278 tr / 999 m (5)

Map: MO 115, OL 17: CG 642580

Man Cychwyn: Yr A5 wrth Hostel Ieuenctid Idwal Cottage, pen gorllewinol Llyn Ogwen, CG 650603. Mae maes parcio mawr. Codir tâl.

Pellter: 4½ milltir / 7.2 kilometr. **Esgyniad:** 2283 tr / 696 metr

Amser: 3-5 awr

Taith: O'r maes parcio dilynwch y llwybr meini sydd yn mynd i'r de-ddwyrain. Ymhen ychydig mae'r llwybr yn troi i'r dde (de-orllewin) i gyfeiriad Llyn Idwal. Wrth y llyn, croeswch y gamfa a dilyn ei lan ddwyreiniol. Aiff y llwybr da hwn â chi heibio i greigiau Idwal ar ben pellaf y llyn, lle daw llawer i ddringo, cyn troi am i fyny ac i gyfeiriad Twll Du. Peidiwch â mynd i'r Twll Du ei hun, fodd bynnag. Mae'r llwybr yn troi i'r chwith dan y graig ac yna'n troi i'r dde a dringo i bant amlwg wrth i'r tir lefelu. Yn union cyn cyrraedd Llyn y Cŵn, trowch i'r chwith a dilyn llwybr sy'n dringo'n serth iawn i gopa caregog Glyder Fawr. Mae dau bentwr o gerrig yn ymyl ei gilydd ac anodd dweud pa un yw'r uchaf. Yr un ar y dde ydyw. O'r copa, ewch yn eich blaen tua'r dwyrain am hanner milltir gan ddilyn ymyl Cwm Cneifion nes cyrraedd Y Gribin, y gefnen sy'n mynd i lawr tua'r gogledd. Mae rhan uchaf y gefnen yn greigiog ond yna cyrhaeddir tir haws o lawer a llwybr sydd yn mynd am Lyn Bochlwyd. Gallech ddilyn y llwybr hwn neu fynd yn syth yn eich blaen tua'r gogledd ac yn ôl at y llwybr i'r maes parcio.

Mynydd: Y Garn, 3107 tr / 947 m (10)

Map: MO 115, OL 17: CG 631596

Man Cychwyn: Yr A5 wrth Hostel Ieuenctid Idwal Cottage, pen gorllewinol Llyn Ogwen, CG 650603. Mae maes parcio mawr. Codir tâl.

Pellter: 4½ milltir / 7.2 kilometr. **Esgyniad:** 2113 tr / 644 metr

Amser: 3-5 awr

Taith: O'r maes parcio dilynwch y llwybr meini sydd yn mynd i'r de-ddwyrain. Ymhen ychydig mae'r llwybr yn troi i'r dde (de-orllewin) i gyfeiriad Llyn Idwal. Wrth y llyn, croeswch y gamfa a dilyn ei lan ogleddol cyn esgyn dros dir glaswelltog am gefnen ogledd-ddwyreiniol, drawiadol Y Garn. Dilynwch y llwybr ar hyd y gefnen hon i'r copa. O'r lloches ar y copa, ewch i lawr i'r de-dde-ddwyrain at Lyn y Cŵn. Mae'n werth mynd o'ch ffordd, os yw amser yn caniatáu, i gael golwg ar y Twll Du trwy ddilyn y nant sy'n llifo o'r llyn. Ond rhaid pwysleisio

nad oes yma ffordd i lawr i gerddwyr. Yn hytrach, dychwelwch at y llyn a dilyn y llwybr ar hyd ei lan gan droi i'r chwith ychydig cyn cyrraedd creigiau Glyder Fawr. Mae pant hir yn eich sianelu at fangre garegog a dylid cadw i'r chwith gyda'r graig yn y fan hon gan fod dibyn anweladwy o'ch blaen. Dilynwch y llwybr caregog i lawr at droed y Twll Du a throi i'r dde wrth gyrraedd y nant sy'n rhuthro ohono. Fe welwch fod llwybr da y naill ochr a'r llall i Lyn Idwal a chewch ddewis eich ffordd yn ôl at ei ben gogleddol.

Mynydd: Elidir Fawr, 3018 tr / 920 m (14); Mynydd Perfedd, 2667 tr / 813 m (31); Carnedd y Filiast, 2697 tr / 822 m (30); Foel Goch 2726 tr / 831 m (27)

Map: MO 115, OL 17: CG 612613, CG 623619, CG 620628, CG 629612

Man Cychwyn: Pentref Nant Peris, tua 2 filltir (3.2 kilometr) i'r deddwyrain o Lanberis, CG 606584. Mae maes parcio mawr gerllaw.

Pellter: 7-8 milltir / 11.2-12.8 kilometr. **Esgyniad:** 3392 tr / 1034 metr

Amser: 4-8 awr

Taith: Gadewch y ffordd fawr a dilyn y lôn ger y capel. Mae'r lôn yn dilyn Afon Gafr i ddechrau ac yna'n troi tua'r gogledd ac yn mynd heibio i nifer o dai wrth ddringo o'r dyffryn. Wedi mynd drwy giât, cadwch ar y lôn a phan gyrhaeddwch y wal nesaf fe welwch arwydd yn eich cyfeirio i'r dde at gamfa. Oddi yno, mae'r llwybr yn mynd yn ei flaen at gamfa arall lle cyrhaeddir tir agored y mynydd. Mae'r llwybr yn dringo yn awr at Afon Dudodyn ac yn dilyn ei glan ddwyreiniol. Pan gyrhaeddwch bont (CG 609595) croeswch hi a dringo'r llethr serth o'ch blaen. Cerddwch tua'r gogledd nes cyrraedd camfa yn y wal uchaf. Yna, mae'r llwybr yn anelu'n syth am gopa Elidir Fawr. Oddi yno, dilynwch gefnen ddwyreiniol, gul y mynydd at Fwlch y Marchlyn a dringo i'r gogledd-ddwyrain i ben Mynydd Perfedd. Trowch tua'r gogledd yn awr nes cyrraedd y creigiau trawiadol uwchlaw'r cwm nesaf (Cwm Graianog) a'u dilyn i gyfeiriad Carnedd y Filiast. Mae carnedd yn dangos y pwynt uchaf. Dychwelwch at Fynydd Perfedd a gadael ei gopa tua'r de-ddeddwyrain i gyrraedd y llwybr da o Elidir Fawr unwaith eto. Gadewch y llwybr hwn eto wrth nesu at Foel Goch a dringo i'r de-ddwyrain i gyrraedd copa'r mynydd. I ddychwelyd i Nant Peris, ewch i lawr i'r gorllewin gan groesi Afon Dudodyn a dilyn y llwybr yn ôl at y bont neu dilynwch y llwybr ychydig i'r dwyrain o Afon Gafr.

Elidir Fawr a'r Garn

Tryfan

Map: MO 115, OL 17: CG 678582, CG 685586

Man Cychwyn: Pentref Capel Curig, CG 720582. Maes parcio ar yr hen ffordd i Gaergybi. Mae tâl am barcio.

Pellter: 6-7 milltir / 9.6-11.2 kilometr. **Esgyniad:** 2231 tr / 680 metr

Amser: 3-6 awr

Taith: O'r maes parcio, cychwynnwch tua'r gogledd ar hyd yr hen ffordd i Gaergybi. Mae'r ffordd darmac yn dod i ben o flaen tŷ ar y chwith. Ewch drwy'r giât a throi i'r chwith gan ddilyn y ffens. Lle mae'r ffens yn troi i'r chwith i fynd heibio i'r tŷ, mae dau lwybr, y naill yn dilyn y ffens a'r llall ychydig yn uwch i fyny. Dilynwch y llwybr uwch hwn sy'n dringo'n raddol i Gefn y Capel, sydd yn wlyb mewn mannau. Ymhen tua milltir a hanner (2.4 kilometr) dechreuir dringo dros lethrau glaswelltog serth i gyfeiriad Gallt yr Ogof. Fodd bynnag, mae'r llwybr yn troi dan lethrau creigiog copa Gallt yr Ogof ac yn mynd am Y Foel Goch, y mae ei chopa i'w weld yn glir ryw hanner milltir (0.8 kilometr) i ffwrdd. Ewch i ben Y Foel Goch yn gyntaf. O garnedd y copa, cychwynnwch yn ôl y ffordd y daethoch a dilyn llwybr arall sydd yn anelu am gopa Gallt yr Ogof gan basio llyn ar y bwlch rhwng y ddau fynydd. O gopa Gallt yr Ogof dilynwch y gefnen i'r gogledd-ddwyrain nes y gwelwch ffens dan greigiau ar y gefnen ei hun. Mae llwybr clir yn temtio rhywun i fynd yn ei flaen ond y nod yn awr yw troi i'r chwith (gorllewin) a mynd i lawr yn ofalus dros lethrau creigiog a grugog y mynydd i'r cwm oddi tanoch (Cwm Gwern Gof) a dilyn Nant yr Ogof i fferm Gwern Gof Isaf. (Os penderfynwch ddilyn y ffens sydd ar y gefnen, dylech gofio bod dibyn peryglus eithriadol o'ch blaen lle daw'r ffens i ben, ac fe welwch fod y llwybr yn gwyro i'r chwith at lethr grugog i'w osgoi.) Wedi cyrraedd y wal gerrig wrth y fferm, trowch i'r dde a dilyn hen ffordd Caergybi yn ôl i Gapel Curig.

3. Yr Wyddfa a'i Chriw

Gŵyr pawb mai'r Wyddfa yw mynydd uchaf Cymru ac nid oes mynydd uwch yn Lloegr. Oherwydd hyn mae'n fynydd poblogaidd iawn, yn enwedig yn ystod yr haf, ac mae llawer o'r cerddwyr a welir ar ei llethrau yn ddibrofiad. Gall presenoldeb y cerddwyr hyn, y llwybrau gosod, y caffi ar y copa a'r rheilffordd o Lanberis beri i rai deimlo nad yw'r Wyddfa'n werth ei dringo o safbwynt golygfeydd a'i bod yn fynydd 'hawdd' neu hollol ddiogel. Camsyniadau yw'r rhain. Mae apêl ym mhob un o'r llwybrau sy'n arwain i'w chopa — hyd yn oed y llwybr mawr o Lanberis — ac o'r copa ei hun gellir gweld yn bell i bob cyfeiriad. Mae rhai yn honni iddynt weld bryniau Iwerddon hyd yn oed. Dylid cofio hefyd fod copa'r Wyddfa, o'i gymharu â chopaon llawer o fynyddoedd Eryri, yn bell o'r ffordd. At hyn, mae damweiniau ar Yr Wyddfa bob blwyddyn a rhai ohonynt yn angheuol. Yng nghymdogaeth Yr Wyddfa mae Crib Goch sydd yn enwog ymhlith cerddwyr oherwydd ei chulni, heb sôn am ei golygfeydd gwych. Er gwaethaf yr anawsterau ynglŷn â hi, mae Crib Goch yn boblogaidd iawn. Dan eira, fodd bynnag, lle i gerddwyr a dringwyr profiadol gyda'r cyfarpar priodol ydyw. I'r gogledd mae Moel Eilio, y mae'r olygfa o'i chopa gyda'r gorau ym Mhrydain.

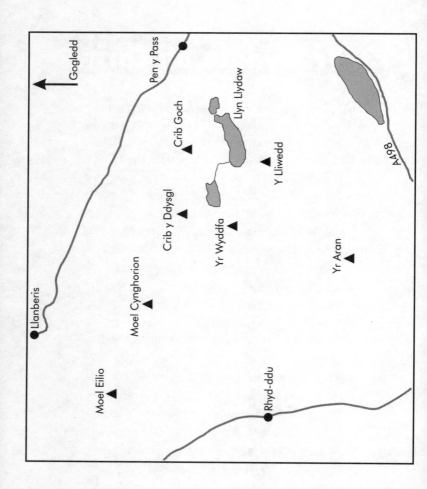

Gogledd

Pen y Pass

Crib Goch ▲

Llyn Llydaw

Y Lliwedd ▲

Crib y Ddysgl ▲

Yr Wyddfa ▲

Moel Cynghorion ▲

Yr Aran ▲

Llanberis ●

Moel Eilio ▲

Rhyd-ddu ●

A498

Map: MO 115, OL 17: CG 610544

Man Cychwyn: Maes parcio Pen y Pass, Bwlch Llanberis, CG 647556. Mae tâl am barcio.

Pellter: 6 milltir / 9.6 kilometr. **Esgyniad:** 2382 tr / 726 metr

Amser: 4-7 awr

Taith: Mae sawl ffordd i ben Yr Wyddfa a dylid eu blasu i gyd. Un fantais amlwg o gychwyn o ben Bwlch Llanberis yw ei fod yn uwch na mannau cychwyn y llwybrau eraill. O'r cyfeiriad hwn hefyd y gwelir mynyddoedd Pedol yr Wyddfa – Crib Goch, Carnedd Ugain, Yr Wyddfa

ei hun a'r Lliwedd – yn eu holl ogoniant. Dilynwch y llwybr caregog llydan o ben gorllewinol y maes parcio â'r Grib Goch – ac nid Yr Wyddfa fel y tybia llawer – o'ch blaen. Mae'r llwybr (a elwir yn *Pig* neu *Pyg Track* mewn llyfrau Saesneg) yn dringo'n raddol i Fwlch Moch lle mae'r olygfa'n newid yn sydyn a lle gwelir ysblander creigiau'r Wyddfa

Yr Wyddfa

a'r Lliwedd dros Lyn Llydaw. Anwybyddwch y llwybr sy'n dringo i gyfeiriad Crib Goch. Mae'r llwybr tua'r Wyddfa yn cychwyn i lawr i'r de-orllewin gan ddilyn y ffens. Uwchlaw Glaslyn mae Llwybr y Mwynwyr yn ymuno â'r llwybr hwn (CG 614548) ac ymhen ychydig cyrhaeddir y palmentydd cerrig a osodwyd i atal rhagor o erydu ac sydd yn igam-ogamu i'r bwlch (Bwlch Glas) lle mae maen hir. Trowch i'r chwith a dilyn y rheilffordd i'r copa. Dychwelwch y ffordd y daethoch neu dilynwch Lwybr y Mwynwyr.

Mynydd: Crib Goch, 3028 tr / 923 m (13)

Map: MO 115, OL 17: CG 624552

Man Cychwyn: Maes parcio Pen y Pass, Bwlch Llanberis, CG 647556. Mae tâl am barcio.

Pellter: 4 milltir / 6.4 kilometr. **Esgyniad:** 1844 tr / 562 metr

Amser: 4-6 awr

Taith: Fel rhan o daith i ben Yr Wyddfa y dringir Crib Goch fel arfer ac mae'n enwog am ei chulni a'r ffordd mae'r tir yn disgyn yn sydyn y naill ochr a'r llall. Dilynwch y llwybr caregog llydan o ben gorllewinol y maes parcio gyda'r Grib Goch o'ch blaen. Mae'r llwybr yn dringo'n raddol i Fwlch Moch. Oddi yno, trowch ar hyd y llwybr sy'n dringo i gyfeiriad wyneb creigiog Crib Goch. Rhaid defnyddio'ch dwylo pan gyrhaeddir yr wyneb hwn ond nid yw'r rhan hon yn parhau'n hir. Daw'r grib ei hun i'r golwg yn sydyn a threwir rhywun ar unwaith gan ei chulni a chan y golygfeydd gwych. Mae'r pwynt uchaf ryw ychydig dros hanner ffordd ar hyd y grib. Yn hytrach na throi yn eich ôl, gallech fynd yn eich blaen at y pinaglau ar ddiwedd y grib – ac un ai dringo drostynt neu ddisgyn tua'r de (ochr Llyn Llydaw) a mynd o'u cwmpas – a mynd i lawr i Fwlch Coch, y bwlch cyn Crib y Ddysgl. Oddi yno, gellir dilyn ffens yn ofalus i lawr at y llwybr sy'n arwain yn ôl o'r Wyddfa i Fwlch Moch. Lle i gerddwyr a dringwyr profiadol yw'r Grib Goch pan fo dan eira.

Crib Goch

Map: MO 115, OL 17: CG 611552

Man Cychwyn: Maes parcio Pen y Pass, Bwlch Llanberis, CG 647556. Mae tâl am barcio.

Pellter: 6 milltir / 9.6 kilometr. **Esgyniad:** 2306 tr / 706 metr

Amser: 4-7 awr

Taith: Crib y Ddysgl yw'r uchaf ond un o fynyddoedd Cymru, mae'n uwch nag unrhyw fynydd yn Lloegr ac mae golygfeydd syfrdanol o'i gopa, gan gynnwys golygfa wych o'r Wyddfa ei hun. At hyn, mae tri o lwybrau poblogaidd Yr Wyddfa yn pasio o fewn gwaith cerdded hawdd ychydig funudau i'w gopa. Ac eto, anwybyddir Crib y Ddysgl gan y mwyafrif mawr sydd â'u bryd ar gyrraedd copa uchaf Cymru ac mae'n amheus a oes unrhyw un yn ymweld ag ef er ei fwyn ei hun. O ddilyn y cyfarwyddiadau ar gyfer Yr Wyddfa hyd at Fwlch Glas, gellir cyrraedd copa Crib y Ddysgl trwy droi i'r dde (gogledd-ddwyrain).

Crib y Ddysgl

Mynydd: Y Lliwedd, 2946 tr / 898 m (17)

Map: MO 115, OL 17: CG 622533

Man Cychwyn: Maes parcio Pen y Pass, Bwlch Llanberis, CG 647556. Mae tâl am barcio.

Pellter: 5 milltir / 8 kilometr. **Esgyniad:** 1768 tr / 539 metr

Amser: 3-5 awr

Taith: Dilynwch y llwybr llydan, sef Llwybr y Mwynwyr, sydd yn gadael y maes parcio tua'r de. Ymhen tua milltir (1.6 kilometr), lle mae'r llwybr yn troi'n sydyn i'r dde ger Llyn Llydaw, ewch yn syth yn eich blaen ar hyd llwybr arall i gyfeiriad adeilad gwyrdd. Mae'r llwybr yn dilyn glan y llyn i ddechrau ond wedi croesi nant mae'n dechrau dringo i'r de-dde-ddwyrain dros dir caregog, yn raddol i ddechrau ac yna'n serth. Ar y gefnen mae'r llwybr yn gwyro tua'r de-orllewin nes cyrraedd Lliwedd Bach. Oddi yno mae'n gwyro eto gan ddilyn ymyl y creigiau at y ddau bigyn, nodwedd amlycaf Y Lliwedd. Yr un pellaf (gorllewinol) yw'r uchaf. Nid oes ffordd hawdd arall o ben y mynydd ond gallech fynd yn eich blaen i Fwlch y Saethau dan Yr Wyddfa a dilyn y gefnen i lawr i'r gogledd-ddwyrain at lan ddwyreiniol Glaslyn a dilyn Llwybr y Mwynwyr yn ôl i'r maes parcio.

Y Lliwedd

42

Mynydd: Yr Aran, 2451 tr / 747 m (56)

Map: MO 115, OL 17: CG 604515

Man Cychwyn: Nant Gwynant – y maes parcio ar ddechrau Llwybr Watkin Yr Wyddfa, CG 629506.

Pellter: 4½ milltir / 7.2 kilometr. **Esgyniad:** 2198 tr / 670 metr

Amser: 3-5 awr

Taith: O'r maes parcio croeswch Afon Glaslyn ac yna croeswch y ffordd fawr at fan cychwyn Llwybr Watkin i'r Wyddfa. Dilynwch y llwybr hwn am tua milltir (1.6 kilometr) hyd nes y gwesgir ef yn dynn i Afon Cwm Llan, dan Y Lliwedd, gan gefnen ddwyreiniol Yr Aran (CG 621520). Yma, gwelir llwybr yn dringo i'r de-orllewin nes cyrraedd yr hen ffordd dramiau. Trowch i'r dde ar hyd y ffordd hon a'i dilyn rownd nifer o drofeydd. Pan fo'n sythu, trowch i'r chwith (gorllewin) i gyfeiriad y bwlch rhwng Yr Wyddfa a'r Aran (Bwlch Cwm Llan). Nid yw'r llwybr yn glir ond mae'n dilyn ochr ogleddol nant i ddechrau a dylid dal i ddringo'n raddol i'r gorllewin nes bod rhaid dringo llethr serth i'r gogledd-orllewin i gyrraedd y bwlch. O'r bwlch, trowch tua'r de a dilyn y wal sydd yn anelu, i ddechrau, am greigiau duon ochr ogleddol Yr Aran ond sydd yn troi tua chefnen ddwyreiniol y mynydd. (Os dilynwch ochr chwith y wal, bydd rhaid gwyro oddi wrthi pan gyrhaeddir disgyniad sydyn, i ddod o hyd i le diogel, cyn dychwelyd at y wal.) Dringwch dros gerrig llethr serth y mynydd gan ddilyn y wal hyd nes ei bod wedi peidio â dringo. Yna, trowch i'r dde (de-ddwyrain) ac anelu am gopa'r Aran lle mae carnedd i ddangos y pwynt uchaf. O'r copa, dychwelwch at y wal a'i dilyn i'r dwyrain y tro hwn. Ar ôl tua 0.4 milltir (0.64 kilometr), cyn i'r wal droi tua'r de, trowch i'r chwith (CG 614515) ac anelu i'r gogledd-ddwyrain am y ffordd dramiau unwaith eto. Dylech fod ar eich gwyliadwriaeth yn ymyl hen chwarel sydd dan y gefnen, oherwydd bod yma dwll heb ffens o'i gwmpas. Wedi cyrraedd y ffordd dramiau dychwelwch at Lwybr Watkin a throi i'r dde am y man cychwyn.

Map: MO 115, OL 17: CG 556577, CG 587564

Man Cychwyn: Llanberis. Gellir parcio am ddim ym maes parcio'r pentref yn ymyl Llyn Padarn.

Pellter: 9 milltir / 14.4 kilometr. **Esgyniad:** 3192 tr / 973 metr

Amser: 5-8 awr

Taith: O bentref Llanberis, dilynwch y ffordd am yr Hostel Ieuenctid, sef Ffordd Capel Coch. Mae'r ffordd yn dringo o'r pentref ac yn dod i ben ger ffermdy Hafod Uchaf. Ar ddiwedd y ffordd darmac, trowch i'r chwith ar hyd y llwybr llydan tua'r de-ddwyrain. Mae eisiau troi am gefnen ogledd-ddwyreiniol Moel Eilio (Braich y Foel). Felly, dewiswch le cyfleus i groesi'r nant sy'n llifo tua'r gogledd ac anelwch am y llethr dan y gefnen. Dringwch y llethr glaswelltog serth a dilyn y ffens ar hyd y gefnen i ben Moel Eilio lle mae golygfa drawiadol. Mae copa Moel Cynghorion i'w weld ryw ddwy filltir (3.6

Moel Eilio

kilometr) i ffwrdd tua'r de-ddwyrain, er mai'r Wyddfa sydd yn denu'r llygad. Mae taith bleserus a rhwydd o'ch blaen yn awr dros y Foel Gron a'r Foel Goch nes cyrraedd y bwlch i'r de dan Foel Cynghorion (Bwlch Maesgwm, CG 573558). O'r bwlch, dringwch lethrau hawdd Moel Cynghorion nes cyrraedd y garnedd fechan ar y copa. Dychwelwch i'r bwlch a throi i'r dde ar hyd y llwybr a aiff â chi yn ôl i Hafod Uchaf a'r ffordd i lawr i Lanberis.

45

4. Nantlle a Beddgelert

I'r gorllewin o'r Wyddfa, yn Nyffryn Nantlle a ger pentrefi Rhyd-ddu a Beddgelert, mae nifer o fynyddoedd trawiadol i'r llygad. Er nad yw mynyddoedd Crib Nantlle yn uchel iawn, mae'r daith ar hyd y grib yn un hynod gofiadwy, yn enwedig wrth deithio tua'r gorllewin a'r môr, ac mae'n rhoi cyfle digon prin yng Nghymru i aros yn uchel drwy'r dydd. Mae hefyd yn gul a chreigiog mewn mannau, sydd yn ychwanegu at gyffro'r daith. Ar draws Dyffryn Nantlle gwelir Craig y Bera sef wyneb deheuol creigiog Mynydd Mawr, a saif ar ei ben ei hun. Mae Moel Hebog yn fynydd trawiadol iawn yr olwg sy'n ymgodi uwch Beddgelert gan daflu cefnen tua'r pentref sy'n eich gwahodd i'w dringo.

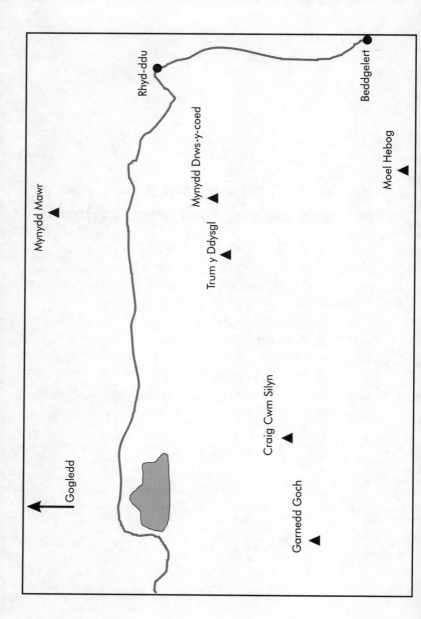

Gogledd

Mynydd Mawr ◀

Rhyd-ddu ●

Beddgelert ●

Moel Hebog ◀

Mynydd Drws-y-coed ◀

Trum y Ddysgl ◀

Craig Cwm Silyn ◀

Garnedd Goch ◀

Mynydd: Mynydd Drws-y-coed, 2280 tr / 695 m (76); Trum y Ddysgl, 2326 tr / 709 m (71); Craig Cwm Silyn, 2408 tr / 734 m (59); Garnedd Goch, 2297 tr / 700 m (74)

Map: MO 115, OL 17: CG 549518, CG 545516, CG 525503, CG 511495

Man Cychwyn: Rhyd-ddu, CG 572525. Maes parcio.

Pellter: 11 milltir / 17.2 kilometr. **Esgyniad:** 3117 tr / 950 metr

Amser: 5-9 awr

Taith: Mae'n werth ceisio cerdded Crib Nantlle ar ei hyd o fynydd Y Garn yn y dwyrain i Fynydd y Graig Goch yn y gorllewin, ond er mwyn medru dychwelyd i'r man cychwyn rhaid cerdded y Grib yn y ddau gyfeiriad neu fod â char ar bob pen iddi. Posibilrwydd arall fyddai torri'r daith a ddisgrifir yma yn ei hanner, mwy neu lai, gan ddringo Mynydd Drws-y-coed a Thrum y Ddysgl ar un daith a dringo'r Garnedd Goch a Chraig Cwm Silyn ar daith arall. Nid yw mynyddoedd Crib Nantlle yn arbennig o uchel, ond mae cerdded y Grib ar ei hyd ac yn ôl yn golygu cryn dipyn o waith esgyn.

Gyferbyn â'r maes parcio yn Rhyd-ddu mae giât. Ewch drwyddi a dilyn y llwybr llechi drwy gae at dŷ o'r enw Tal-y-Llyn. Trowch i'r chwith o flaen y tŷ a chroesi'r bont dros Afon Gwyrfai. Dilynwch y llwybr at y ffordd o Ryd-ddu i Nantlle. Trowch ar eich union ar hyd llwybr march sydd yn mynd i lawr i'r de-orllewin. Wedi croesi nant gwelir y llwybr am Y Garn yn dringo i'r dde at gamfa. Wrth y gamfa, fe welwch garreg fawr o'ch blaen ac arni ddwy saeth wen. Yn union y tu hwnt i'r garreg hon mae'r llwybr yn ymrannu'n ddau. Ewch i'r dde dros dir serth yn syth i gyfeiriad Y Garn. O'r copa dilynwch lwybr creigiog i'r de i gyrraedd Mynydd Drws-y-coed. Oddi yno dilynwch ymyl y creigiau a dringo i gopa Trum y Ddysgl yn y gorllewin. Trowch i'r de-orllewin yn awr nes cyrraedd y gefnen gul sy'n arwain i gopa Mynydd Tal-y-mignedd a'i dŵr. O gopa Mynydd Tal-y-mignedd mae'r llwybr yn cychwyn i'r de bron ac yna'n mynd â chi i lawr llethr serth i'r de-orllewin ac i'r bwlch dan Graig Cwm Silyn (sef Bwlch Dros Bern). Wedi croesi'r bwlch mae'r llwybr yn dringo drwy'r creigiau i gopa Craig Cwm Silyn. O'r fan honno, mae'n werth croesi i'r gorllewin i gael cip i lawr ar Lynnoedd Cwm Silyn cyn troi i'r de-orllewin i ddilyn y wal sy'n arwain i gopa'r Garnedd Goch.

Os penderfynwch dorri'r daith yn ei hanner, neu er mwyn amrywio'r daith yn ôl i Ryd-ddu, gallech ddilyn cefnen ddeheuol Trum y Ddysgl nes cyrraedd y goedwig ac yna ddilyn ymyl y goedwig at y llwybr ym Mwlch y Ddwy Elor (CG 553505). Trowch i'r chwith (gogledd-ddwyrain) i ddychwelyd i Ryd-ddu.

Craig y Bera, Mynydd Mawr

Mynydd: Craig Cwm Silyn, 2408 tr / 734 m (59); Garnedd Goch, 2297 tr / 700 m (74)

Map: MO 115, OL 17: CG 525503, CG 511495

Man Cychwyn: Dwy filltir (3.2 kilometr) i'r dwyrain o bentref Llanllyfni, ar ddiwedd ffordd sydd yn arwain i Gwm Silyn, CG 496511. Mae lle i barcio nifer o geir yn ymyl y giât.

Pellter: 5 milltir / 8 kilometr. **Esgyniad:** 1542 tr / 470 metr

Amser: 3-5 awr

Taith: Dilynwch y llwybr tua'r dwyrain i Gwm Silyn. Cyn cyrraedd pen deheuol y llyn cyntaf, dringwch tua'r de-orllewin gan osgoi'r creigiau (Clogwyn y Cysgod). Dilynwch ymyl y creigiau rownd i'r dwyrain ac anelu am y garnedd ar gopa Craig Cwm Silyn. O'r copa trowch i'r de-orllewin ac anelu am y wal sy'n arwain i gopa'r Garnedd Goch. O'r copa dilynwch wal arall – i'r gogledd-orllewin y tro hwn – ar ei hochr orllewinol.

Mynydd Mawr

Mynydd: Moel Hebog, 2569 tr / 783 m (42)

Map: MO 115, OL 17: CG 565469
Man Cychwyn: Beddgelert. Maes parcio, CG 588481.
Pellter: 4 milltir / 7.2 kilometr. **Esgyniad:** 2428 tr / 740 metr
Amser: 3-5 awr

Taith: Cerddwch o'r maes parcio ac yn ôl at y ffordd fawr. Trowch i'r dde a dilyn y ffordd rhwng y tai a'r gwesty. Lle mae'r ffordd yn troi i'r chwith y tu ôl i'r gwesty, trowch chithau i'r dde ac ewch drwy'r giât o'ch blaen gan anwybyddu'r arwydd llwybr cyhoeddus. Dilynwch y llwybr llydan sydd o'ch blaen ac ymhen rhyw gan metr mae'n gwyro i'r chwith i fynd trwy fwlch yn y wal gerrig. Wedi mynd trwy'r bwlch hwn trowch ar eich union i'r dde a dilyn y llwybr rhwng dwy wal nes cyrraedd y ffordd sy'n mynd i'r de-orllewin am Gwm Cloch. Mae'r ffordd hon yn mynd drwy goed tal gan ddilyn nant nes cyrraedd tŷ Cwm Cloch Canol. Gyferbyn â'r tŷ hwn mae camfa wrth adfail a gwelir y llwybr i Foel Hebog yn croesi tir gwlyb i gyfeiriad cefnen ogledd-ddwyreiniol y mynydd. Ar y gefnen mae'r llwybr yn troi i'r de-orllewin gan ddringo llethrau glaswelltog serth i gyfeiriad y creigiau dan y copa. Â'r tir yn fwy caregog wrth esgyn. Wrth nesu at y creigiau mae'r llwybr yn troi i'r dde nes cyrraedd cefnen ogleddol y mynydd. Yna mae'n troi i'r chwith am y copa glaswelltog lle mae piler triongli a wal.

Map: MO 115, OL 17: CG 540546

Man Cychwyn: Rhyd-ddu, CG 572525. Maes parcio.

Pellter: 6½ milltir / 10.4 kilometr. **Esgyniad:** 1850 tr / 564 metr

Amser: 3-6 awr

Taith: O'r maes parcio, cerddwch drwy bentref Rhyd-ddu a throwch i'r chwith ar hyd y B4418 i Nantlle. Wedi pasio tai Cefn Cwellyn, trowch i'r dde ar hyd ffordd y goedwig, yn union ar ôl yr arwyddion cyfyngiad cyflymder ar gyrion y pentref. Mae'r ffordd yn dringo'n raddol i ddechrau ac yna'n lefelu. Ymhen rhyw dri chwarter milltir (1.2 kilometr), a chithau newydd basio pen deheuol Llyn Cwellyn sydd i'w weld drwy'r coed oddi tanoch, daw'r mynydd i'r golwg unwaith eto uwchlaw llethr lle torrwyd y coed yn ddiweddar. Mae'r ffordd yn croesi llwybr yn y fan hon a gellir gweld y llwybr yn mynd i lawr trwy'r coed ar y dde. Mae'r llwybr i'r mynydd yn dringo i'r chwith gan ddilyn ymyl y goedwig ar hyn o bryd. Croesir camfa lle daw'r goedwig i ben ar gefnen y mynydd. Trowch i'r dde a dilyn ymyl y goedwig ac yna dringwch gefnen ddwyreiniol, laswelltog, serth Mynydd Mawr (Foel Rudd). O'r fan hon mae llwybr clir yn arwain yn raddol uwchlaw Craig y Bera cyn troi i'r gogledd i ddringo dros lethrau uchaf, glaswelltog y mynydd i'r copa.

5. Blaenau Ffestiniog

Mae Moel Siabod i'w gweld yn glir wrth i chi yrru ar hyd yr A5 heibio i Bentrefoelas ac am Fetws-y-coed. Pan nesewch at Gapel Curig mae ei hanferthedd yn drawiadol wrth iddi ymgodi uwch y pentref, a go brin y byddech yn credu bod llwybr hawdd i'w chopa. Hwn, heb amheuaeth, yw mynydd mwyaf trawiadol a diddorol y grŵp hwn o fynyddoedd. Mynydd ar wahân braidd yw Moel Siabod, yn enwedig o edrych arno o'r gorllewin fel hyn. Ond mae ei lethrau gorllewinol yn ymestyn i'r ucheldir uwch Blaenau Ffestiniog lle mae nifer o fynyddoedd eraill. O'r Blaenau y cyrhaeddir y mynyddoedd hyn sydd, at ei gilydd, yn laswelltog a hawdd iawn eu dringo. Ychydig ymhellach i'r gorllewin mae Cnicht, Moelwyn Mawr a Moelwyn Bach, y mae eu hapêl yn llawer mwy amlwg.

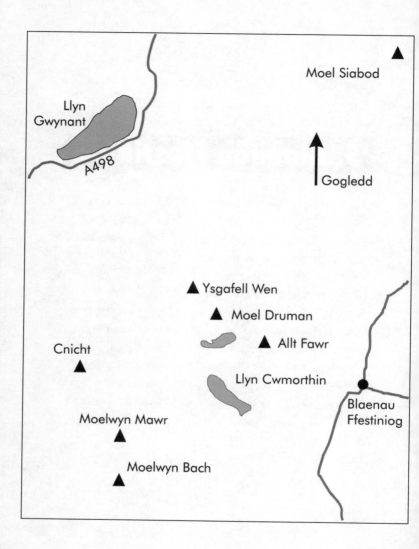

Mynydd: Cnicht, 2260 tr / 689 m (79)

Map: MO 115 ac 124, OL 17 ac 18: CG 645466

Man Cychwyn: Pentref Croesor, yn y maes parcio, CG 631447.

Pellter: 6 milltir / 9.6 kilometr. **Esgyniad:** 1745 tr / 532 metr

Amser: 3-5 awr

Taith: Ewch o'r maes parcio yn ôl at y ffordd a throi i'r dde dros Afon Croesor a heibio i ysgol y pentref. Dilynwch y ffordd nes cyrraedd dwy giât. Ewch drwy'r giât o'ch blaen a dilyn y llwybr llydan drwy'r coed. Wedi gadael y coed, mae'r llwybr yn rhannu'n ddau. Ewch i'r dde. Gellir dilyn y llwybr hwn i ben y mynydd a ddaw i'r golwg yn sydyn unwaith eto yn awr. Pan gyrhaeddwch gorlan ddefaid mae'r llwybr yn ymrannu eto. Trowch i'r dde a dilyn y llwybr hwn sy'n mynd ar hyd y gefnen i'r copa. Mae ychydig o waith sgrialu i'w wneud wrth nesu at ben y mynydd. O'r copa dilynwch y llwybr ar hyd y gefnen i'r gogledd-ddwyrain nes eich bod gyferbyn â phen deheuol Llyn yr Adar. Yma, gwelir carnedd sylweddol o gerrig sy'n dangos llwybr arall. Trowch i'r dde (de-ddwyrain) ar hyd y llwybr hwn a chroesi Afon Cwm y Foel. Dilynwch lan ddwyreiniol yr afon at y llyn oddi tanoch (Llyn Cwm y Foel, CG 655466). Cadwch uwch creigiau'r llyn nes cyrraedd yr argae yn ei ben deheuol. Croeswch yr argae a throi i'r chwith a dilyn llwybr sy'n croesi llethrau Cnicht gan ddisgyn yn raddol i Gwm Croesor. Mae pont dros yr afon wrth adfail (CG 642455). Mae llwybr llydan yn arwain i'r de-ddwyrain ar hyd llawr y cwm. Dilynwch ef nes cyrraedd ffordd darmac wrth ffermdy. Dilynwch y ffordd darmac hon yn ôl i bentref Croesor.

Mynydd: Moelwyn Bach, 2329 tr / 710 m (70); Moelwyn Mawr, 2526 tr / 770 m (44)

Map: MO 115 ac 124, OL 17 ac 18: CG 660437, CG 658449
Man Cychwyn: Pentref Croesor, yn y maes parcio, CG 631447.
Pellter: 5½ milltir / 8.8 kilometr. **Esgyniad:** 2438 tr / 743 metr
Amser: 3-5 awr

Taith: Ewch o'r maes parcio yn ôl at y ffordd a throi i'r chwith. Dilynwch y ffordd am ychydig dros hanner milltir (tua kilometr). Ar ôl croesi Afon Maesgwm mae'r ffordd yn anelu am goedwig. Gadewch y ffordd a dilyn llwybr llydan a ddaw i'r golwg cyn i chi gyrraedd y goedwig, ac anelwch am gornel bellaf y goedwig. Wedi croesi wal, gellir dilyn cefnen orllewinol laswelltog Moelwyn Bach bob cam i'r copa. Mae creigiau serth, annisgwyl i'r gogledd a rhaid mynd i lawr tua'r dwyrain o garnedd

Moelwyn Bach a Moelwyn Mawr

y copa cyn troi ar hyd llwybr cul am Foelwyn Mawr. Gall y llwybr hwn fod yn llithrig a thrafferthus ar ôl glaw er ei fod yn gwella wrth nesu at y bwlch dan Foelwyn Mawr (Bwlch Stwlan). Rhaid dringo'n serth i groesi Craigysgafn ac yna daw llethrau glaswelltog Moelwyn Mawr i'r golwg. Mae piler triongli ar y copa, reit ar ymyl y dibyn. O'r copa, fe welwch gefnen yn anelu tua'r gogledd i gyfeiriad Llyn Croesor. Dilynwch y gefnen laswelltog hon nes cyrraedd llwybr sy'n anelu i'r gorllewin am Gwm Croesor lle cyrhaeddir y ffordd yn ôl i'r pentref.

Map: MO 115, OL 17: CG 705546

Man Cychwyn: Tua milltir (1.6 kilometr) i'r de-ddwyrain o bentref Capel Curig ger Pont Cyfyng, CG 734572 neu mewn cilfan ar yr A5, CG 735571

Pellter: 6 milltir / 9.6 kilometr. **Esgyniad:** 2369 tr / 722 metr

Amser: 3-5 awr

Taith: O gyfeiriad yr A5, croeswch Bont Cyfyng. Anwybyddwch y llwybr cyhoeddus ar y dde. Cymerwch y drofa nesaf ar y dde sef ffordd darmac sy'n dringo'n serth drwy goed. Mae'r ffordd hon yn arwain bob cam at gefnen ogledd-ddwyreiniol y mynydd ond crewyd dargyfeiriad ar y drofa gyntaf er mwyn osgoi buarth fferm. Wedi ailymuno â'r ffordd, uwchlaw'r fferm, trowch i'r chwith ac ewch drwy giât. Yn nes ymlaen cyrhaeddir giât arall. Wrth nesu at y

Moel Siabod

mynydd mae'r tir yn lefelu ac yn union cyn cyrraedd trydedd giât gadewch y ffordd ac anelu am gamfa amlwg dros y ffens dan gefnen y mynydd. Dilynwch y gefnen hir i ben y mynydd. Fe welwch mai crib hir, wastad a charegog yw pen y mynydd a gall y cerrig onglog fod yn anghyffyrddus ac anodd eu croesi. Haws na dilyn y grib, ond llai o hwyl, yw dilyn llwybr cul trwy'r glaswellt ychydig islaw'r cerrig ar ochr ogleddol y mynydd. Ar ben pellaf y grib (de-orllewin) mae'r copa ac mae yno faen triongli. Nid nepell i ffwrdd mae cysgodfa gerrig.

Mynydd: Ysgafell Wen, 2205 tr / 672 m (93); Moel Druman, 2218 tr / 676 m (90); Allt Fawr, 2290 tr / 698 m (75)

Map: MO 115, OL 17: CG 667481, CG 672476, CG 682475

Man Cychwyn: Tanygrisiau ger Blaenau Ffestiniog. Maes parcio, CG 682452.

Pellter: 6 milltir / 9.6 kilometr. **Esgyniad:** 2067 tr / 630 m

Amser: 3-6 awr

Taith: O'r maes parcio, croeswch yn ôl i ochr ddwyreiniol Afon Cwmorthin a throi i'r chwith ar hyd y ffordd tua'r gogledd i Gwmorthin ei hun. Pan ddaw'r ffordd darmac i ben ewch drwy'r giât a dilyn y ffordd garegog serth. Pan yw'n lefelu, mae pont dros yr afon ac arwydd llwybr cyhoeddus mewn llecyn a dirluniwyd. Gallech groesi'r afon yn y fan hon neu fynd yn eich blaen ar ochr ogleddol yr afon nes cyrraedd Llyn Cwmorthin a chroesi pont droed yn y fan honno. Mae'r ffordd yn dilyn glan orllewinol y llyn ac ymhen hanner milltir (0.8 kilometr) mae'n troi ac yn dechrau dringo tua'r de-orllewin nes cyrraedd hen chwarel. Wrth ddringo tua'r chwarel, fe welwch glogwyn ar y dde (Clogwyn Brith) a'r nod yw mynd rownd hwn a throi i'r gogledd i gyfeiriad Llyn Cwm Corsiog. Daw'r ffordd i ben yn sydyn wrth i chi gyrraedd gwastadedd yr hen chwarel. Trowch i'r dde yn y fan hon ac fe welwch garnedd a llwybr aneglur yn cychwyn ar draws glaswelltir tua'r gogledd. Wedi pasio pen deheuol Llyn Cwm Corsiog, a Cnicht newydd ddod i'r golwg unwaith eto yn y gorllewin, mae'r llwybr yn rhannu'n ddau. O'r fan hon fe ellwch anelu'n syth dros weundir caregog am gopa Ysgafell Wen, sef y smotyn uchder 672 dros hanner milltir (1 kilometr) i ffwrdd i'r gogledd-ogledd-ddwyrain, neu fe ellwch ddilyn y llwybr i'r dde sy'n arwain at Lyn Coch yn y gogledd-ddwyrain. O ben pellaf y llyn mae llwybr yn dilyn pyst hen ffens heibio i Lyn Terfyn yn y gogledd ac at droed y creigiau dan gopa Ysgafell Wen. Mae carnedd fechan ar y creigiau i ddangos y man uchaf. O'r copa, ewch i lawr i'r de-ddwyrain a dilyn y llwybr sy'n mynd heibio i Lyn Terfyn a Llyn Coch ac yn dringo dros Foel Druman. Bydd yn rhaid gadael y llwybr a throi i'r chwith i gyrraedd copa Moel Druman ei hun. Nid oes carnedd yma. Yna, dychwelwch i'r llwybr a'i ddilyn heibio i Lyn Conglog a thros yr Allt Fawr. Unwaith eto, rhaid troi i'r chwith i gyrraedd y copa – sydd yn bellach i ffwrdd y tro hwn – lle mae carnedd fechan ar y graig. Wedi mynd yn ôl i'r llwybr, y nod yn awr yw dilyn y gefnen i'r de-ddwyrain ac osgoi creigiau'r Allt Fawr yn y dwyrain a chreigiau Allt y Ceffylau yn y gorllewin. Dilynwch ochr chwith y ffens drydan i'r de-orllewin ac yna i'r de-ddwyrain. Pan yw'r tir yn lefelu gellir mynd drwy giât yn y ffens a mynd i lawr at Lyn Cwmorthin, lle mae camfa. Ewch drwy'r chwarel a dilyn y ffordd yn ôl i Danygrisiau.

6. Arenig

Uwchlaw'r Bala, o bobtu'r ffordd fawr am Drawsfynydd ger yr enwog Lyn Celyn, mae'r Arenig Fawr a'i chwaer fach. Nid nepell i ffwrdd, o'r golwg braidd, mae mynydd llai trawiadol Carnedd y Filiast y mae ei sefyllfa ganolog yn golygu y gellir gweld Eryri, bryniau Clwyd, y Berwyn a llawer mwy. Arenig Fawr yw brenhines y grŵp hwn, heb amheuaeth. Wrth i chi ddringo o'r Bala i gyfeiriad Llyn Celyn, llenwir yr olygfa gan ei gwedd ddwyreiniol, greigiog, fawr. O'r cyfeiriad hwn hefyd gellir gweld wyneb dwyreiniol, creigiog ei chwaer fach, ond buan y mae'n diflannu a gall Arenig Fach wedyn ymddangos fel bryncyn glaswelltog digon di-nod. O'r golwg y tu ôl i Arenig Fawr mae Moel Llyfnant brin ei hymwelwyr. Mannau tawel yw'r mynyddoedd hyn i gyd fel arfer.

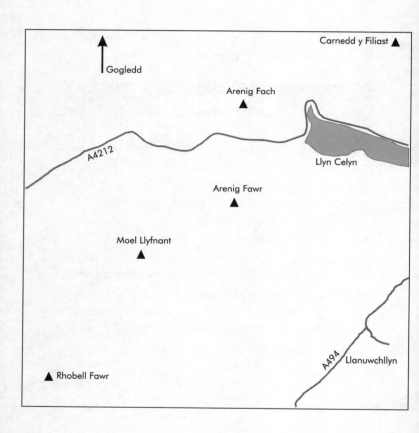

Map: MO 124 neu 125, OL 18: CG 820416

Man Cychwyn: Yr A4212 gyferbyn â'r ffordd a'r llwybr cyhoeddus sy'n mynd i lawr i fferm Rhyd-y-fen, CG 826400. Mae lle i barcio car ar ochr ogleddol y ffordd.

Pellter: 2-3 milltir / 3-5 kilometr. **Esgyniad:** 1122 tr / 342 metr

Amser: 1½-3 awr

Taith: Ewch drwy'r giât a rhwng y ddwy res o gerrig am ryw bymtheg metr nes pasio pen y wal gerrig sy'n dringo'r llethr. Dringwch drwy'r caeau serth o'ch blaen gan fynd dros ddwy wal gerrig sydd wedi syrthio. Mae craig amlwg o'ch blaen – pasiwch hi ar y dde ac ewch dros drydedd wal. Trowch yn siarp i'r chwith ar hyd llwybr sydd yn dilyn y wal hon. Pan basiwch godiad yn y tir sydd yn cyrraedd bron hyd at y wal, trowch am i fyny unwaith eto. Dilynwch bant amlwg gan dueddu ychydig i'r chwith at giât yn y wal uchaf. Trowch i'r dde yn awr a dilyn y llwybr drwy'r grug am ryw 100 metr. Yn union cyn cyrraedd y garreg fawr yn y grug mae'r llwybr yn troi i'r chwith am i fyny unwaith eto. Ymhen ychydig mae'r llwybr yn gwyro i'r dde dros godiad priddlyd ac yn anelu am Y Foel, sef pen cefnen ddeheuol Arenig Fach. Nid yw'n mynd i ben Y Foel, fodd bynnag. Mae'n anelu dros wastadedd grugog i gyfeiriad copa Arenig Fach ac yn diweddu'n sydyn ar ganol y gwastadedd hwnnw. Daliwch i'r un cyfeiriad, fodd bynnag, ac wedi dringo'r llethr nesaf daw piler triongli a lloches gerrig y copa i'r golwg. Cyn cychwyn am adref, mae'n werth mynd i'r dwyrain i weld nodwedd fwyaf trawiadol ac annisgwyl y mynydd, sef ei wyneb dwyreiniol creigiog a'r olygfa tua Llyn Arenig Fach. I rai nad oes arnynt ofn uchderau, mae carreg wastad, lydan y gellir eistedd arni uwchlaw'r dibyn.

Mynydd: Arenig Fawr 2802 tr / 854 m (24)

Map: MO 124 neu 125, OL 18: CG 827369

Man Cychwyn: Ychydig i'r dwyrain o Bont Rhyd-y-fen dros Afon Tryweryn, CG 823393. Mae lle i barcio ar ymyl y ffordd.

Pellter: 5-6 milltir / 8-9.6 kilometr. **Esgyniad:** 1673 tr / 510 metr

Amser: 2-5 awr

Taith: Dilynwch y ffordd sydd yn mynd i'r de-orllewin yn ymyl yr hen reilffordd gynt. Yn raddol mae'r ffordd darmac yn troi'n llwybr cul. Ymhen hanner milltir (0.8 kilometr) mae'r llwybr rydych arno bellach yn troi tua'r de ac yn pasio hen chwarel gan adael y rheilffordd. Ymhen hanner milltir arall cyrhaeddir giât mewn wal gerrig. Trowch i'r chwith (dwyrain yn fras) a dilyn y wal ac yna'r ffens (ac yna byst y ffens!) i fyny cefnen ogledd-orllewinol y mynydd ac ymlaen i'r copa ei hun, lle mae piler triongli a chofeb. (Ar y gefnen, sylwch fod dwy wal yn cydredeg am ychydig, rhag i hyn eich camarwain os dewch yn ôl y ffordd yma.) Gellid amrywio'r daith yn ôl drwy gychwyn tua'r de nes mynd heibio i'r creigiau islaw'r copa a throi wedyn i'r gorllewin nes cyrraedd y llwybr a aiff â chi tua'r gogledd ac yn ôl i'r man cychwyn drwy hen fferm Amnodd-wen.

Arenig Fawr

Map: MO 124 neu 125, OL 18: CG 808352

Man Cychwyn: Ychydig i'r dwyrain o Bont Rhyd-y-fen dros Afon Tryweryn, CG 823393. Mae lle i barcio ar ymyl y ffordd.

Pellter: 7 milltir / 11.2 kilometr. **Esgyniad:** 1345 tr / 410 metr

Amser: 3-6 awr

Taith: Dilynwch y ffordd sydd yn mynd i'r de-orllewin yn ymyl yr hen reilffordd gynt. Yn raddol mae'r ffordd darmac yn troi'n llwybr cul. Ymhen hanner milltir (0.8 kilometr) mae'r llwybr rydych arno bellach yn troi tua'r de ac yn pasio hen chwarel gan adael y rheilffordd. Ewch yn eich blaen am ryw dri chwarter milltir (1.2 kilometr) nes cyrraedd hen adfail Amnodd-wen. Yn union wedyn, mae'r llwybr yn fforchio. Ewch i'r dde drwy'r goedwig nes cyrraedd adfail Amnodd-bwll. O flaen yr hen dŷ dilynwch y llwybr i'r chwith ac ewch drwy'r giât wrth y nant. Gadewch y llwybr yn awr ac anelu i'r chwith trwy'r hen gorlannau am gefnen ogleddol Moel Llyfnant. Dilynwch y gefnen i ben y mynydd lle mae wal a ffens yn cyfarfod ychydig cyn y copa. Er mwyn amrywio'r daith yn ôl, gellid dychwelyd i'r lle mae'r ffens a'r wal yn cyfarfod a throi i'r dwyrain i gyrraedd llwybr sy'n dilyn troed y mynydd yn ôl i Amnodd-bwll.

Mynydd: Rhobell Fawr 2408 tr / 734 m (61)

Map: MO 124, OL 23: CG 787256

Man Cychwyn: Tua 3 milltir (4.8 kilometr) i'r gogledd o bentref Rhydymain, ar ffordd y goedwig dan lethrau dwyreiniol Rhobell Fawr, CG 798255. (Ar y map, dangosir tŷ o'r enw Tŷ-newydd-y-mynydd ychydig i'r gogledd, er nad oes dim ohono ar ôl bellach.)

Pellter: 2 filltir / 3.2 kilometr. **Esgyniad:** 833 tr / 254 metr

Amser: 1-3 awr

Taith: O edrych ar y map, fe welwch eich bod newydd groesi dwy nant i gyrraedd y man cychwyn. Yn union i'r gogledd o'r ddwy nant, yn CG 798255, fe welwch wal sy'n dringo llethrau creigiog Rhobell Fawr i'r gogledd-orllewin. Mae'r wal hon, sydd â hen ffens ar ei phen a ffens newydd wrth ei hochr, yn eich arwain bron i ben y mynydd a gellir ei dilyn ar y naill ochr neu'r llall. Os dewiswch yr ochr dde (gogledd), gwnewch fel hyn: dilynwch y wal a'r hen ffens nes cyrraedd wal arall. Croeswch yr ail wal hon ac ewch yn eich blaen i'r un cyfeiriad gan ddilyn y wal wreiddiol nes cyrraedd trydedd wal. Yma, ewch dros y wal ddadfeiliedig ar y chwith a dilyn y wal dda nes cyrraedd camfa yn ymyl y copa, sef bryncyn glaswelltog ac arno biler triongli. Os dewiswch yr ochr chwith, dilynwch y wal o'r ffordd nes cyrraedd wal arall. Yma, rhaid troi i'r chwith i gyrraedd camfa. O ben y gamfa gellir gweld y piler triongli ar y copa. Cerddwch yn syth tuag ato a gwelir camfa dros y wal sydd yn union dan y copa.

Mynydd: Carnedd y Filiast 2195 tr / 669 m (97)

Map: MO 125, OL 18: CG 871446

Man Cychwyn: Ger Llyn Celyn, tua 5 milltir (8 kilometr) o'r Bala ar y ffordd i Drawsfynydd, yr A4212. Mae lle i barcio ar ochr ogleddol y ffordd, CG 861411.

Pellter: 6-7 milltir / 9.6-12.8 kilometr. **Esgyniad:** 1325 tr / 404 metr

Amser: 3-5 awr

Taith: O'r gilfan ar ymyl y ffordd fawr, dilynwch y ffordd i'r goedwig. Bron ar unwaith cyrhaeddir man agored yn y goedwig ac ymhen rhyw gan metr gwelir llwybr ar y dde sydd yn dringo i ymyl y goedwig. Dilynwch y llwybr hwn ac wedi gadael y goedwig ewch dan y gwifrau trydan a dilyn llwybr a wnaed, yn amlwg, gan olwynion cerbyd, tua'r gogledd. Dan lethrau'r Foel Boeth mae'r llwybr hwn yn troi'n sydyn tua'r dwyrain. Gellid ei ddilyn i gopa Carnedd y Filiast ond mae'n mynd ar i lawr am tua hanner milltir (0.8 kilometr) nes croesi Nant y Coed dan lethrau Brottos. Gwell gadael y llwybr wrth y drofa y cyfeiriwyd ati ac anelu'n syth drwy'r grug am gopa'r Foel Boeth. Oddi yno, ewch i lawr tua'r gogledd i'r bwlch dan Lechwedd-llyfn, dringo i ben y mynydd hwnnw a dilyn ei ben glaswelltog nes cyrraedd ffens. Dilynwch y ffens am ryw filltir (1.6 kilometr) tua'r dwyrain nes cyrraedd y piler triongli ar gopa Carnedd y Filiast. Er mwyn amrywio'r daith yn ôl, gellid dilyn y llwybr a adawyd cyn mynd i ben y Foel Boeth. O'r piler triongli mae'r llwybr hwn yn cychwyn tua'r gogledd.

7. Berwyn

Wrth ruthro ar hyd yr A5 o Langollen i Gorwen trwy ardal Owain Glyndŵr ac am fynyddoedd Eryri, mae'r rhan fwyaf o'r ymwelwyr penwythnosol sydd yn dod i Gymru i gerdded yn anwybyddu'r Berwyn — os gwyddant amdano o gwbl. O bentref Glyndyfrdwy neu o bentref Llidiart y Parc gellir crwydro tua'r de am filltiroedd lawer ar hyd y mynyddoedd hyn, i gyffiniau Aran Fawddwy. Yng ngolwg llawer, bryniau crugog ac anghysbell yw'r Berwyn, ac yn wir wrth ddringo o'r Bala ar hyd y ffordd unig, a dramatig mewn mannau, i Langynog ym Mhowys, dyna'r argraff a geir. Ar y chwith, mae mynyddoedd uchaf y Berwyn — Moel Sych, Cadair Berwyn a Chadair Bronwen — ac ar y dde mae môr o rug yn ymestyn yn ymddangosiadol ddiderfyn i odre'r ddwy Aran. Ond i'r rhai sy'n mynd i'r drafferth o adael yr A5 a throi trwy'r Waun am Lyn Ceiriog ac ymlaen wedyn trwy bentref Llanarmon Glyn Ceiriog i Gwm Maen Gwynedd, mae golygfa dra gwahanol yn disgwyl. Yma mae Craig Berwyn a Llyn Lluncaws unig ac nid nepell i ffwrdd mae Pistyll Rhaeadr, un o saith rhyfeddod Cymru.

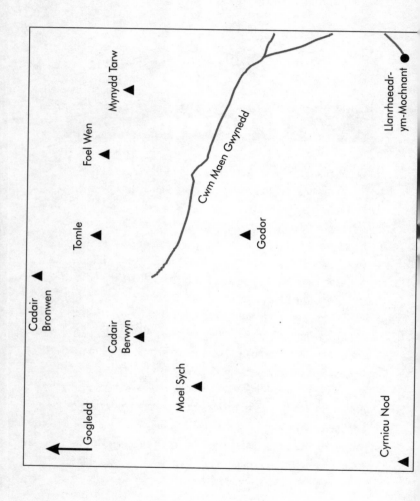

Gogledd

Cadair Bronwen ◄

Tomle ◄

Foel Wen ◄

Mynydd Tarw ◄

Cadair Berwyn ◄

Moel Sych ◄

Godor ◄

Cwm Maen Gwynedd

Cyrniau Nod ◄

Llanrhaeadr-ym-Mochnant ●

Mynydd: Mynydd Tarw, 2234 tr / 681 m (86); Foel Wen, 2267 tr / 691 m (77); Tomle, 2434 tr / 742 m (57); Cadair Bronwen 2575 tr / 785 m (41); Cadair Berwyn, 2723 tr / 830 m (28); Moel Sych 2713 tr / 827 m (29); Godor, 2228 tr / 679 m (88)

Map: MO 125, P 826: CG 113324, CG 099334, CG 085335, CG 077346, CG 072324, CG 066318, CG 095307

Man Cychwyn: Cwm Maen Gwynedd, ger y blwch teleffon, CG 118308. Mae lle i barcio ger y bont dros y nant islaw.

Pellter: 11 milltir / 17.6 kilometr. **Esgyniad:** 2657 tr / 810 metr

Amser: 4-8 awr

Taith: Ewch ar hyd y lôn wrth y blwch teleffon trwy fuarth fferm Maes. Lle mae'r lôn yn troi i'r dde, trowch chithau i'r chwith (gogledd-ogledd-orllewin) drwy'r ail giât. Dringwch drwy'r cae at giât arall ac ewch drwyddi. Trowch i'r dde a dilyn y coed at lwybr llydan sy'n dringo at gornel y blanhigfa fawr. Dilynwch ymyl y goedwig nes cyrraedd y lloches gerrig ar gopa Mynydd Tarw. Oddi yno, dilynwch y ffens i'r gorllewin am filltir (1.6 kilometr) i gyrraedd copa Foel Wen. Mae'r pwynt uchaf ar ochr ogleddol y ffens. Dilynwch y ffens i'r gogledd-orllewin ac ymlaen at gopa mynydd Tomle lle mae carnedd fechan o gerrig gwynion. Oddi yno, dilynir y ffens at giât ar y bwlch cyn Cadair Berwyn lle, tan yn ddiweddar, safai Maen Gwynedd – carreg ryw wyth troedfedd o uchder – ar hen ffordd dros y bryniau, Ffordd Gam Elin. Ewch drwy'r giât a dilyn yr hen ffordd hon i'r gorllewin nes cyrraedd giât arall ym Mwlch Maen Gwynedd. Ewch drwy'r giât a throi i'r dde gan ddilyn llwybr i'r gogledd i gopa Cadair Bronwen lle mae carnedd fawr. O'r copa, dychwelwch i Fwlch Maen Gwynedd. O'r fan hon gallech dorri'r daith yn ei hanner a gadael y gweddill ar gyfer diwrnod arall drwy ddilyn y cyfarwyddiadau canlynol: ewch yn ôl drwy'r giât, dilyn yr hen ffordd o'r Bwlch yn ôl at Faen Gwynedd a mynd drwy'r giât yn y fan honno ac i lawr i'r de-dde-ddwyrain at y ffordd darmac yng Nghwm Maen Gwynedd. Aiff honno â chi yn ôl at y blwch teleffon.

Os ydych am gwblhau'r daith heddiw, gadewch Fwlch Maen Gwynedd a dilyn y ffens sydd yn mynd i'r de. Ar ben y llethr mae'n troi i'r chwith ac yn ymuno â ffens arall lle mae giât a chamfa. Croeswch y gamfa ac o'ch blaen mae llwybr sy'n dilyn ymyl y graig i gyfeiriad copa Cadair Berwyn – nid y piler triongli ond y creigiau i'r de, y tu hwnt i'r lloches gerrig, sy'n edrych i lawr ar Gwm Maen Gwynedd a Llyn Lluncaws. Cerddwch dros y glaswellt byr i'r de-orllewin am dri chwarter milltir (1.2 kilometr) i gyrraedd copa Moel Sych lle mae carnedd fawr a lle mae tair ffens yn cyfarfod. Cerddwch yn ôl i lawr i gyfeiriad Cadair Berwyn ac wrth i'r tir ddechrau codi, trowch i'r dde a dilyn llwybr cul ar draws wyneb y mynydd at y ffens ar gefnen dde-ddwyreiniol Cadair Berwyn uwchlaw Llyn Lluncaws. Croeswch y gamfa fechan a dilyn y ffens ar ei hochr ogleddol. Mae'r tyfiant yn drafferthus a lle mae'r ffens yn troi i'r dde, ewch yn syth yn eich blaen er gwaetha'r anawsterau, nes daw'r ffens i'ch cyfarfod unwaith eto. Dilynwch y ffens i gopa Godor lle mae carnedd fechan, wen ychydig cyn y fan lle mae tair ffens yn cyfarfod. Dilynwch y trum tua'r dwyrain ac anelu am gorlan ar waelod cae, heb fod ymhell o goedwig fechan. Yng ngwaelod y cae nesaf ond un cyrhaeddir llwybr llydan. Trowch i'r chwith a dilyn y llwybr hwn nes cyrraedd y ffordd. Trowch i'r chwith eto i ddychwelyd at y blwch teleffon.

Cadair Berwyn

Mynydd: Cyrniau Nod, 2188 tr / 667 m (100)

Map: MO 125, P 825: CG 989279

Man Cychwyn: Bwlch Hirnant, tua 6 milltir (9.6 kilometr) i'r de o'r Bala, CG 946273. Mae lle i barcio ar ochr y ffordd.

Pellter: 7 milltir / 11.2 kilometr. **Esgyniad:** 745 tr / 227 metr

Amser: 3-5 awr

Taith: O'r bwlch, dilynwch y ffordd goedwig sy'n dringo i'r gogledd-ddwyrain i gyfeiriad Fforest Penllyn, y fforest a wasanaethir ganddi. Ar ôl tua tair milltir (4.8 kilometr) cyrhaeddir pen gwastad Foel Cedig. Oddi yno mae'r ffordd yn mynd tua'r dwyrain nes troi'n sydyn tua'r gogledd. Yn lle ei dilyn i'r gogledd, gadewch hi yn y fan hon a throi tua'r de nes cyrraedd ffens. Dilynwch y ffens i'r dde nes cyrraedd ffens arall i'r chwith (de-ddwyrain). Dilynwch ochr ddwyreiniol y ffens hon i gopa Cyrniau Nod sydd ym mhen pellaf y gefnen ac yn union ar y ffin rhwng Gwynedd a Phowys. Mae carnedd yno. O'r fan hon, gwelir gweundir grugog i bob cyfeiriad ac yn ddi-os dyma un o'r mynyddoedd mwyaf unig yng Nghymru.

8. Aran

I'r miloedd o Gymry sydd wedi aros yng ngwersyll yr Urdd, Glan-llyn, bydd siâp Aran Benllyn yn gwbl gyfarwydd. Wrth deithio tua'r Bala o'r dwyrain, ymddengys cefnen ogleddol, hir y mynydd fel petai'n disgyn yn sydyn i ben pellaf Llyn Tegid, ond wrth deithio ymlaen i gyfeiriad Dolgellau gwelir mai rhith yw hyn, a da hynny gan mai dyma'r ffordd yr â'r llwybr. Gwelir Aran Fawddwy orau o'r de, o'r bryniau uwchlaw Machynlleth neu o Bumlumon neu Gadair Idris, ac fe'i cyrhaeddir fel arfer o Gwm Cywarch uwchlaw Dinas Mawddwy. Er bod copa a llethrau uchaf Aran Fawddwy yn gerrig i gyd, bryniau glaswelltog yw'r rhain at ei gilydd. Bu cryn anghydfod yn yr ardal hon yn y gorffennol ynghylch hawliau tramwy ac arweiniodd trafodaethau rhwng awdurdodau'r Parc Cenedlaethol a'r ffermwyr at sefydlu llwybrau cwrteisi neu gonsesiwn.

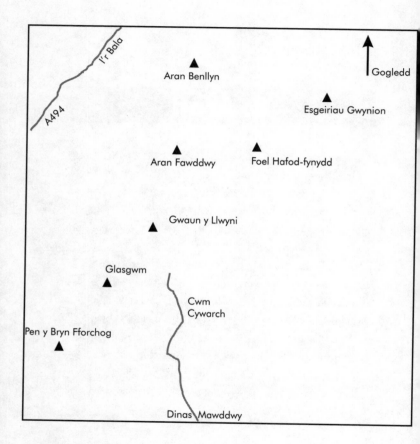

Map: MO 124 neu 125, OL 18 ac OL 23: CG 867243

Man Cychwyn: Llanuwchllyn, wrth y drofa yn y B4403 lle mae pont dros Afon Twrch, CG 880298. Mae maes parcio yn union cyn y drofa.

Pellter: 7 milltir / 11.2 kilometr. **Esgyniad:** 2379 tr / 725 metr

Amser: 3-5 awr

Taith: Wrth Bont y Pandy mae map ac arwydd i atgoffa cerddwyr bod y ffermwyr wedi rhoi caniatâd iddynt gerdded ar eu tir. Croeswch y gamfa a dilyn y llwybr llydan. Pan fo'r llwybr yn troi tua'r de, croeswch gamfa arall i'r dde (de-orllewin) a dilyn llwybr llai dros y caeau. Cyn hir gadewch y llwybr hwn hefyd ac esgyn dros fryncyn gan ddilyn llwybr tua'r de. Wedi croesi pant mae'r llwybr hwn yn dringo'n raddol heibio i Foel Ffenigl cyn dringo llethr serth i'r copa. Mae'r pwynt uchaf ar ochr ddeheuol y wal ddadfeiliedig, ar ymyl y creigiau.

Aran Benllyn

79

Mynydd: Aran Fawddwy, 2969 tr / 905 m (16); Gwaun y Llwyni, 2247 tr / 685 m (83)

Map: MO 124 neu 125, OL 23: CG 863224, CG 857205

Man Cychwyn: Cwm Cywarch, ryw 3 milltir (4.8 kilometr) i'r gogledd o Ddinas Mawddwy, CG 853184. Digon o le i barcio ar y tir gwastad o bobtu pen y ffordd.

Pellter: 8 milltir / 12.8 kilometr. **Esgyniad:** 2503 tr / 763metr

Amser: 4-6 awr

Taith: Cerddwch ar hyd y ffordd nes cyrraedd pont droed lle mae map ac arwydd yn dweud mai dyma'r ffordd i ben yr Aran. Croeswch y bont a dilynwch y llwybr sydd yn dringo'n raddol i'r gogledd-ddwyrain uwchlaw Hengwm cyn troi tua'r gogledd dan Waun Goch ac yna i'r gogledd-orllewin am Drysgol. Oddi yno ewch i'r gorllewin drwy Ddrws Bach cyn troi tua'r gogledd am gopa Aran Fawddwy ar hyd llwybr carneddog. Ar y copa mae piler triongli ar ymyl y creigiau uwchlaw Creiglyn Dyfi. Dychwelwch ar hyd y llwybr i'r de-orllewin, y llwybr consesiwn, ac at y ffens, fel petaech am fynd yn ôl i Ddrws Bach. Yn lle hynny, dilynwch y ffens i lawr i'r de-orllewin gan gofio bod Gwaun y Llwyni ar yr ochr chwith (dwyrain) iddi. Pan yw'r tir yn dechrau lefelu, trowch i'r de-ddwyrain at ymyl y creigiau uwchlaw Hengwm. Mae'r copa i'r de ac mae hen ffens yn ei groesi. Er bod cefnen hawdd yn arwain i lawr i Hengwm tua'r dwyrain, rhaid dychwelyd i'r gogledd-orllewin at y llwybr consesiwn. Mae hwnnw'n arwain i'r de-orllewin dros dir corsog i'r bwlch dan fynydd Glasgwm. Yma, trowch i'r chwith (de-ddwyrain) a dilyn llwybr hyfryd heibio i nifer o raeadrau yn ôl i Gwm Cywarch.

Mynydd: Esgeiriau Gwynion, 2201 tr / 671 m (94); Foel Hafod-fynydd 2260 tr / 689 m (81)

Map: MO 125, OL 23: CG 889236, CG 877227

Man Cychwyn: Bwlch y Groes, ryw 3 milltir (4.8 kilometr) i'r gogledd o Lanymawddwy, CG 913233. Maes parcio.

Pellter: 7 milltir / 11.2 kilometr. **Esgyniad:** 2067 tr / 630 metr

Amser: 3-5 awr

Taith: O'r maes parcio dilynwch ochr ogleddol y ffens am dros filltir a chwarter (tua 2 kilometr) at Lechwedd Du (CG 894224) uwch Ceunant y Briddell. Yma, mae'r ffens yn troi tua'r gogledd a gellir ei dilyn bob cam i gopa Esgeiriau Gwynion, lle mae tair ffens yn cyfarfod. Dilynwch y ffens sy'n mynd i lawr i'r de-orllewin i Fwlch Sirddyn a'i dilyn dros y bwlch i gefnen Foel Hafod Fynydd. Ar y gefnen, mae'r ffens yn troi i'r dde ac ymhen hanner milltir cyrhaeddir y pwynt uchaf, sef yr ail fryncyn carneddog. Dychwelwch i'r dwyrain ar hyd y ffens gan wyro ychydig i'r chwith i osgoi Ceunant y Briddell. Croeswch y nant a dilyn y llwybr i'r de dan Lechwedd Du nes cyrraedd y ffordd ger fferm Blaen-pennant. Dilynwch y ffordd serth yn ôl i Fwlch y Groes.

Map: MO 124 neu 125, OL 23: CG 837195, CG 818180

Man Cychwyn: Cwm Cywarch, ryw 3 milltir (4.8 kilometr) i'r gogledd o Ddinas Mawddwy, CG 853184. Mae digonedd o le i barcio ar y Fawnog Fawr.

Pellter: 6½ milltir / 12.8 kilometr. **Esgyniad:** 2350 tr / 716 metr

Amser: 3-5 awr

Taith: O'r lle parcio cerddwch ar hyd y ffordd gan fynd heibio i'r bont lle mae'r arwydd i ddangos y llwybr i ben y ddwy Aran. Dilynwch Afon Cywarch nes cyrraedd pont arall ger fferm Blaencywarch. Mae'r llwybr yn troi i'r chwith yn y fan hon ac yna i'r dde wrth giât y fferm. Trowch i'r chwith wrth yr arwydd sy'n dangos y ffordd i Rydymain a dringo'r llethrau serth i adael y cwm o'ch ôl. Dilynir nant wrth esgyn i'r bwlch rhwng Craig Cywarch a Chreigiau Camddwr. Ar y bwlch cyrhaeddir llyn bychan ac fe welir y pyst gwynion sy'n dangos y llwybr consesiwn i ben Aran Fawddwy. Ewch heibio i'r llyn a throi i'r chwith (de) gyda'r ffens. Dringwch lethrau serth Glasgwm nes cyrraedd y garnedd drawiadol ar y copa. O'ch blaen fe welwch Lyn y Fign. Yn lle croesi'r gamfa ar lan y llyn, dilynwch y ffens i'r dde. Mae'r ffens yn troi i gyfeiriad Cadair Idris a'r môr cyn troi eto i gyfeiriad y goedwig fawr ar lethrau gogleddol Pen y Bryn Fforchog. Dilynwch y ffens i ben draw'r goedwig. Yna, croeswch y gamfa a dilyn ymyl uchaf y goedwig i gyfeiriad y copa. Mae ffens yn rhedeg dros y copa a rhaid ei chroesi i gyrraedd y man uchaf un. O'r copa trowch yn eich ôl tua'r gogledd ac wrth ddringo o'r pant dan y copa fe welwch strimyn atal tân yn y goedwig (fe'i dangosir fel llwybr ar y map, CG 818182). Dilynwch y llwybr hwn. Ymhen rhyw dri chwarter milltir (1.2 kilometr) croesir Nant y Graig Wen, sy'n llifo o Lyn y Fign, ac mae'r llwybr yn dringo i'r dde cyn disgyn yn raddol at ffordd sy'n arwain o'r goedwig. Trowch i'r chwith ar hyd y ffordd hon. Pan fydd y ffordd yn troi'n sydyn i'r dde, ewch i'r chwith ar hyd y ffens a chroesi'r gamfa. Ar unwaith, croeswch y ffens ar y chwith a throi i'r dde gan ddilyn llwybr cul ar draws y gwastadedd at y llwybr llydan sy'n mynd i lawr i Gwm Cywarch.

9. Rhinog

Mae llawer o gerddwyr yn melltithio mynyddoedd Ardudwy oherwydd y grug trwchus a'r cerrig sy'n gymysg ag ef. Mae'n werth cofio y gall baglu dros dir o'r fath fod yn waith blinderus iawn sydd yn ychwanegu at yr amser a gymer i gwblhau taith gerdded. Mae'r mynyddoedd hyn yn anodd eu cyrraedd hefyd. Rhaid i'r rhan fwyaf deithio heibio iddynt i'r gorllewin yn gyntaf a dilyn ffordd Bermo-Harlech cyn troi wedyn ar hyd y ffordd gul drwy Gwm Nantcol hir. Os ydych yn fodlon cwblhau'r daith hon, y wobr a gewch yw'r teimlad o fod yn bell o bobman ac oddi wrth bawb. Ac mae'r môr a Llŷn yn gefndir gwych i'r cyfan. Gwelir y mynyddoedd hyn orau o'r dwyrain, o Foel Llyfnant neu Aran Benllyn, er enghraifft, ac mae pen gwastad Rhinog Fach yn hawdd ei adnabod. Nid oes grug ar fynyddoedd deheuol y grŵp a gellwch ymestyn eich coesau yn y fan hon.

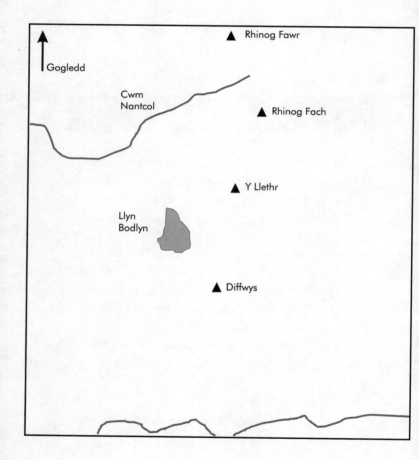

Mynydd: Rhinog Fawr, 2362 tr / 720 m (65); Rhinog Fach, 2333 tr / 712 m (69); Y Llethr, 2480 tr / 756 m (50)

Map: MO 124, OL 18: CG 657290, CG 665270, CG 661258

Man Cychwyn: Cwm Nantcol, 5 milltir i'r de-ddwyrain o Harlech. Gellir parcio ar ben pellaf y ffordd am ffi fechan.

Pellter: 7 milltir / 11.2 kilometr. **Esgyniad:** 3707 tr / 1130 metr

Amser: 3-6 awr

Taith: O'r lle parcio, dilynwch y lôn tua'r gogledd i Nantcol. Croeswch y caeau at gamfa amlwg dros wal. Cerddwch i'r gogledd-ddwyrain dros dyfiant anodd gan anelu am y man isaf i'r chwith i gefnen dde-orllewinol Rhinog Fawr. Nid oes

Rhinog Fach gyda Rhinog Fawr yn y cefndir

llwybr clir nes i chi droi i gyfeiriad y copa a chyrraedd wal ar lethrau gorllewinol y mynydd. O'r copa, cychwynnwch tua'r dwyrain i ddechrau. Yna trowch tua'r de gan ddewis y ffordd hawsaf rhwng y creigiau i gyrraedd Bwlch Drws Ardudwy. Pe dymunech, gallech droi i'r dde (de-orllewin) o'r fan hon i ddychwelyd i'r man cychwyn. O'r bwlch mae llwybr clir yn dringo i gopa Rhinog Fach. Oddi yno, dilynwch y wal i'r dwyrain ac yna i'r de ac ewch i lawr y llethrau serth i'r bwlch. (Mae cyfle arall yn awr i ddychwelyd i'r man cychwyn drwy ddilyn llwybr o ben gogleddol Llyn Hywel heibio i Lyn Cwmhosan yn y gogledd ac i lawr at y llwybr ym Mwlch Drws Ardudwy.) Wedi pasio Llyn Hywel, mae'r llwybr yn gwyro oddi wrth y wal ac yn dringo llethrau serth Y Llethr nes cyrraedd y wal unwaith eto. Trowch i'r dde i gyrraedd y copa. Dychwelwch at Lyn Hywel ac ewch tua'r gogledd at Lyn Cwmhosan ac yn eich blaen i Fwlch Drws Ardudwy. Trowch i'r chwith a dilyn y llwybr yn ôl i Gwm Nantcol.

Mynydd: Diffwys, 2461 tr / 750 m (54)

Map: MO 124, OL 18: CG 661234

Man Cychwyn: Diwedd y ffordd fach sydd yn mynd i'r gogledd o bentref Bont-ddu ger Afon Mawddach. Mae lle i nifer o geir.

Pellter: 6 milltir / 9.6 kilometr. **Esgyniad:** 2461 tr / 750 metr

Amser: 3-6 awr

Taith: O'r lle parcio ar ben y ffordd, ewch drwy'r giât a dilyn y llwybr sy'n mynd am y boncyn ar y chwith (Banc-y-frân) ac anwybyddwch yr arwydd sy'n dangos llwybr cyhoeddus i lawr i'r dde i'r pant a fferm Hafod-uchaf. Mae nifer o byst gwynion yn eich tywys i gyfeiriad Braich, y gefnen laswelltog amlwg sydd yn ymestyn tuag atoch. Wedi pasio rhwng dwy wal gerrig cadwch i'r un cyfeiriad (gogledd-ogledd-orllewin) gan ddilyn y wal sydd ar y chwith am dros filltir (1.6 kilometr) bob cam i ben y gefnen. Yno cyrhaeddir camfa dros wal arall. Trowch i'r dde (gogledd-ddwyrain) a dilyn y wal hon, ar y naill ochr neu'r llall, gan ddringo'n raddol dros weundir nes cyrraedd y llethr caregog sy'n arwain i'r copa. Mae'r piler triongli ar ymyl y dibyn.

10. Cadair Idris

Cadair Idris yw un o fynyddoedd enwocaf Cymru. Hi a'r Wyddfa yw'r ddau fynydd y mae rhai nad ydynt yn fynyddwyr yn fwyaf tebygol o fod wedi clywed amdanynt. Pen y Gadair yw'r enw iawn ar y copa er bod tuedd bellach i ddefnyddio'r enw Cadair Idris.

Mewn gwirionedd mae *massif* Cadair Idris yn ymestyn o Ddolgellau i Dal-y-llyn a draw wedyn at y môr a gellir cerdded am filltiroedd ar lwybrau uchel, da sydd â golygfeydd hynod.

Mae cryn amrywiaeth yn y tirwedd hefyd. Ceir llethrau glaswelltog, serth mewn mannau a cheir wynebau creigiog. Prin bod creigiau mwy dramatig yng Nghymru na'r rhai o amgylch Llyn Cau. Ar ochr ogleddol Cadair Idris mae sawl man clogwynog: uwchlaw Llyn y Gadair, er enghraifft, a hefyd islaw Mynydd Moel.

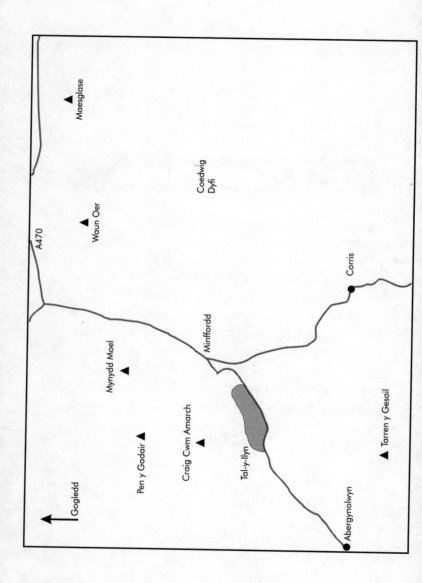

Gogledd

Pen y Gadair ▲

Mynydd Moel ▲

Craig Cwm Amarch ▲

Tal-y-llyn

Abergynolwyn ●

Minffordd

Tarren y Gesail ▲

Corris ●

Waun Oer ▲

A470

Coedwig
Dyfi

Maesglase ▲

Mynydd: Mynydd Moel, 2831 tr / 863 m (23); Pen y Gadair, 2930 tr / 893 m (18); Craig Cwm Amarch, 2595 tr / 791 m (39)

Map: MO 124, OL 23: CG 728137, CG 711130, CG 711121

Man Cychwyn: Minffordd, tua 4 milltir / 6.4 kilometr i'r de o Ddolgellau, CG 732115. Maes parcio Dôl Idris.

Pellter: 5 milltir / 8 kilometr. **Esgyniad:** 2920 tr / 890 metr

Amser: 3-5 awr

Taith: O ben pellaf y maes parcio dilynwch yr arwyddion 'Cader Idris'. Wedi croesi Nant Cadair mae'r llwybr, sef Llwybr Minffordd, yn troi i'r dde ac yn dilyn glan orllewinol y nant i fyny drwy'r goedwig. Pan gyrhaeddwch ben uchaf y goedwig croeswch y nant a dringo i'r gogledd-ddwyrain gan ddilyn ymyl y goedwig. Daw llwybr clir sydd yn mynd am Fynydd Moel i'r golwg. Mae'r llwybr yn mynd drwy hen wal ac am gamfa dros ffens sy'n cydredeg â hen wal. Pan gyrhaeddwch y gamfa hon mae eisiau troi i'r chwith. Mae llwybr o bobtu'r ffens. Dilynwch y ffens dros lethrau grugog, serth Mynydd Moel i ben y mynydd. Wrth i'r tir lefelu mae eisiau bod ar ochr dde'r ffens ac mae nifer o gamfeydd ar gael. Mae'r copa caregog i'w weld draw ar ymyl y dibyn. Gwaith hawdd yw cerdded dros y glaswellt o'r fan hon i Benygadair ryw filltir (1.6 kilometr) i'r gorllewin-dde-orllewin. O Benygadair, dilynwch ymyl Craig Cau a dringo i ben Craig Cwm Amarch a welir ryw dri chwarter milltir (1.2 kilometr) i'r de. Oddi yma, mae llwybr da, sef Llwybr Minffordd eto, yn dilyn y creigiau, i'r de-ddwyrain i ddechrau, ac yn cyrraedd llawr y cwm ychydig i'r dwyrain o Lyn Cau. Dilynwch y llwybr i'r dwyrain at Nant Cadair ac yna i'r de ac yn ôl drwy'r goedwig.

Craig Cwm Amarch a Phen y Gadair

Map: MO 124, OL 23: CG 786148, CG 822152

Man Cychwyn: Bwlch Oerddrws, tua 5 milltir (8 kilometr) i'r dwyrain o dref Dolgellau. Maes parcio, CG 803170.

Pellter: 8½ milltir / 13.6 kilometr. **Esgyniad:** 2539 tr / 774 metr

Amser: 4-7 awr

Taith: O'r maes parcio, croeswch y gamfa a dilynwch y llwybr i'r de sy'n cychwyn ar hyd ochr orllewinol y ffens ac yna'n dringo dros Graig y Bwlch nes cyrraedd cefnen laswelltog uwch y creigiau. Ar y gefnen mae'r llwybr yn cyrraedd ffens ac mae'r llwybr a'r ffens yn cydredeg bob cam i gopa gwastad Cribin Fawr. Yno, croeswch ddwy gamfa sydd yn ymyl ei gilydd a dilyn ochr arall y ffens i gyfeiriad Waun Oer i'r de-orllewin. Wrth y tro cyntaf yn y ffens, lle mae'n dechrau disgyn i gyfeiriad y bwlch dan Waun Oer, sylwch fod llwybr i'r chwith. Bydd eisiau dychwelyd i'r fan hon a dilyn y llwybr hwn ar ôl bod i ben Waun Oer. Dilynwch y ffens i lawr i'r bwlch a dringo'r llethr serth i gyrraedd y piler triongli ar gopa Waun Oer. Dychwelwch i'r fan a nodwyd uchod ger copa Cribin Fawr a dilyn y llwybr a grybwyllwyd i'r de-ddwyrain. Mae'r llwybr hwn yn mynd i lawr yn raddol i'r bwlch dan Graig Portas ryw dri chwarter milltir (1.2 kilometr) i ffwrdd. Yn y bwlch mae'n cyrraedd y ffens a fu'n cydredeg ag ef ers tro. Mae'r ffens yn dringo i ben Craig Portas ac yna'n troi i'r dwyrain. Cadwch ar ochr ddeheuol y ffens yn y fan hon. Ar ôl cerdded llethrau esmwyth am beth amser, fe welwch glogwyn syth sydd yn ymddangos yr ochr arall i'r ffens yn annisgwyl braidd. Felly, os penderfynwch ddilyn ochr ogleddol y ffens, cofiwch fod y graig ei hun o'r golwg a bod y tir glaswelltog mewn mannau yn gogwyddo i lawr am y dibyn mewn modd a allai fod yn beryglus, yn enwedig os yw'r glaswellt yn wlyb. Dilynwch y ffens i'r dwyrain ac yna gellir dilyn y ffens i'r gogledd-ddwyrain i ben Maesglase. Dychwelwch i ben Craig Portas, dilynwch y ffens oddi yno i ben Cribin Fawr ac o'r fan honno dychwelwch y ffordd y daethoch.

Map: MO 124 ac 135, OL 23: CG 710059

Man Cychwyn: Abergynolwyn, tua 7 milltir / 11.2 kilometr i'r gogledd-ddwyrain o Dywyn, CG 678069. Maes parcio'r pentref.

Pellter: 6 milltir / 9.6 kilometr. **Esgyniad:** 2100 tr / 640 metr

Amser: 3-5 awr

Taith: O'r maes parcio, dilynwch y ffordd darmac uwchlaw Nant Gwernol i'r de-ddwyrain. Ymhen rhyw filltir (1.6 kilometr) daw'r ffordd darmac i ben ac mae'r ffordd yn rhannu'n ddwy. Dilynwch y lôn laswelltog i lawr i'r dde gan gadw gyda'r ffens. Wrth fynd am hen chwarel Bryn Eglwys, mae'r lôn yn troi'n llwybr cul. Mae'r llwybr hwn yn pasio twll y chwarel a gall fod yn wlyb iawn yn y fan hon. Trowch i'r chwith pan welwch arwydd llwybr cyhoeddus wrth gamfa a dringwch drwy'r goedwig. Ymhen ychydig mae'r llwybr yn troi tua'r de-ddwyrain unwaith eto ac yn gadael y goedwig. Ar y chwith, ar lethrau Tarren y Gesail, mae planhigfa arall sydd yn cuddio'r copa. Mae'r llwybr yn anelu am waelod y blanhigfa hon ac yna'n troi i'r chwith (dwyrain) nes cyrraedd giât. O'r fan hon gellid dringo dros lethrau glaswelltog serth y mynydd yn syth i'r copa. Haws na hyn a llawer mwy diddorol hefyd yw dilyn ymyl y goedwig i'r gogledd nes cyrraedd cefnen orllewinol y mynydd a'i golygfeydd gwych i gyfeiriad Cadair Idris. Mae piler triongli ar y copa lle mae dwy ffens yn cyfarfod.

11. Pumlumon

Yng Nghanolbarth Cymru mae mannau o hyd lle gellir cerdded
heb weld ond ychydig bobl. Man felly yw ardal Pumlumon.
Mae'r mynyddoedd yn y grŵp hwn sydd i'r dwyrain o gronfa
ddŵr Nant-y-moch — ac yn enwedig y bryniau llai a'r
dyffrynnoedd cyfagos — yn rhoi cyfle i rywun grwydro am
filltiroedd lawer mewn tawelwch fel rheol. Mewn mannau, gall
y llystyfiant fod yn drafferthus a rhaid gwylio rhag mannau
gwlyb ar ôl glaw trwm, ond digon hawdd yw'r daith a ddisgrifir
yma i'r copaon. Mae llygad dwy afon bwysig, Gwy a Hafren, ar
lethrau dwyreiniol Pumlumon ac mae'n werth neilltuo amser i
fynd i'w gweld.

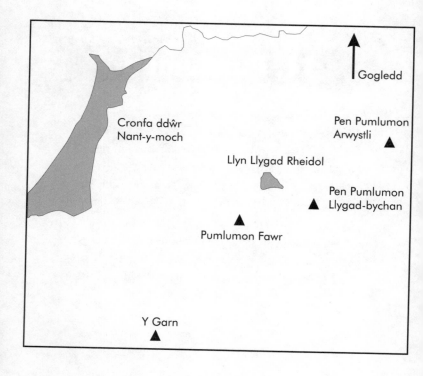

Cronfa ddŵr
Nant-y-moch

Gogledd

Pen Pumlumon
Arwystli ▲

Llyn Llygad Rheidol

Pen Pumlumon
▲ Llygad-bychan

Pumlumon Fawr
▲

Y Garn
▲

Mynydd: Y Garn, 2244 tr / 684 m (85); Pumlumon Fawr, 2467 tr / 752 m (52); Pen Pumlumon Llygad-bychan, 2385 tr / 727 m (62); Pen Pumlumon Arwystli, 2431 tr / 741 m (58)

Map: MO 135, P 927 a 928: CG 776852, CG 790870, CG 799871, CG 815878

Man Cychwyn: Cronfa ddŵr Nant-y-moch, lle mae Nant-y-moch yn llifo i'r gronfa, CG 767869. Mae lle i barcio ar ochr y ffordd.

Pellter: 8 milltir / 12.8 kilometr. **Esgyniad:** 1969 tr / 600 metr

Amser: 3-6 awr

Taith: Cychwynnwch ar hyd glan ddeheuol Nant-y-moch ac anelu am gefnen ogleddol, laswelltog Y Garn. Dilynwch y gefnen hon i ben y mynydd. Ar gopa'r mynydd mae hen garnedd. Trowch tua'r dwyrain a dilyn ffens sydd yn mynd â chi heibio i blanhigfa goed. Lle daw'r blanhigfa i ben, mae'r ffens yn troi tua'r gogledd ac yn eich arwain bob cam i gopa Pumlumon Fawr. Yn hytrach na cherdded yn dynn i'r ffens, gwell crwydro i'r chwith mewn mannau er mwyn cael gwell golygfa. O ben Pumlumon Fawr, lle mae carnedd fawr a philer triongli, trowch i'r

Edrych tuag at Nant-y-moch o ben Pumlumon Fawr

dwyrain-ogledd-ddwyrain, dros ffens y copa, ac ewch i lawr i'r bwlch cyn dringo i gopa Pen Pumlumon Llygad-bychan (nad enwir ar y map 1:50 000). Mae carnedd fechan i ddangos y man uchaf ac mae carreg ffin gerllaw ac arni'r llythrennau WWW a dyddiad. Cerddwch i'r gogledd-ddwyrain am tua chwarter milltir (0.4 kilometr) at gornel y ffens lle mae carreg ffin arall. Bydd eisiau dychwelyd i'r fan hon i gwblhau'r daith. Yn awr, fodd bynnag, cerddwch i lawr i'r dwyrain a dringo wedyn i gopa Pen Pumlumon Arwystli. Dychwelwch at yr ail garreg ffin a dilyn y ffens i gyfeiriad Pen Cerrig Tewion tua'r gogledd-orllewin. Cyn cyrraedd Pen Cerrig Tewion dewiswch le hwylus i droi am argae Llyn Llygad Rheidol yn y gorllewin. O'r fan hon mae llwybr llydan yn arwain yn ôl at y ffordd ger cronfa ddŵr Nant-y-moch.

12. Mynydd Du (Gwent)

Ucheldir glaswelltog, cymharol wastad, yn hytrach na chadwyn o gopaon digyswllt, yw Mynydd Du Gwent mewn gwirionedd ac ar y cyfan nid yw'r copaon ond mannau ar yr ucheldir hwnnw lle mae ychydig o godiad yn y tir. Unwaith y byddwch wedi dringo o'r dyffryn i'r ucheldir hwn, gallwch grwydro'n ddigon didrafferth a heb lawer o ymdrech am filltiroedd o'r naill gopa i'r llall. Efallai mai dim ond Pen Cerrig Calch a'i gopa creigiog sy'n creu'r ymdeimlad o fod ar fynydd go iawn, ond wedi dweud hyn, mae'r Mynydd Du yn cynnig i'r cerddwr anturus gyfle i grwydro am filltiroedd mewn ardal hyfryd ac mewn awyrgylch cymharol dawel.

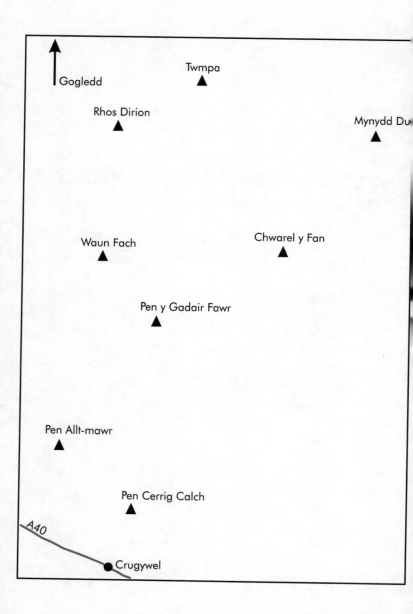

Mynydd: Pen Cerrig Calch, 2300 tr / 701 m (72); Pen Allt-mawr, 2359 tr / 719 m (66); Waun Fach, 2657 tr / 810 m (32); Pen y Gadair Fawr, 2625 tr / 800 m (36)

Map: MO 161, OL 13: CG 217224, CG 207243, CG 215299, CG 229288

Man Cychwyn: Cwm Banw, wrth drofa dynn ar y ffordd fechan dair milltir (4.8 kilometr) i'r gogledd o Grucywel, CG 234229. Maes parcio.

Pellter: 14 milltir / 22.4 kilometr. **Esgyniad:** 2850 tr / 869 metr

Amser: 5-9 awr

Taith: O'r maes parcio, dilynwch y llwybr sydd ar ochr ddeheuol y nant. Croeswch y cae at y lôn uwchlaw. Croeswch y lôn a dilyn ymyl y goedwig. Wedi cyrraedd pen ucha'r goedwig ewch yn syth yn eich blaen nes ymuno â llwybr sy'n dringo i'r dde. Mae'r llwybr yn lefelu yn ymyl coeden a dylech ei adael yn awr a dringo i'r de-orllewin, yn syth i gyfeiriad copa Pen Cerrig Calch a'i biler triongli. Mae'r gwaith caled o'ch ôl bellach. Dilynwch y gefnen am filltir a hanner (2.4 kilometr) nes cyrraedd piler triongli Pen Allt-mawr. Oddi yno, mae'r llwybr clir yn mynd i'r gogledd cyn troi i ddringo heibio i gopa Pen Twyn Glas lle mae'n troi i'r gogledd unwaith eto am Fynydd Llysiau. (O gopa Pen Twyn Glas mae llwybr yn dilyn cefnen Tal Trwynau i'r de-ddwyrain ac yn ôl i'r maes parcio.) Mae'r llwybr yn croesi pwynt uchaf Mynydd Llysiau ac yna'n disgyn i fwlch a groesir gan lwybr arall, sydd yn mynd i gwm Grwyne Fechan ar y dde ac sy'n cynnig modd arall i ddychwelyd i'r man cychwyn. Wedi dringo llethr serth i Ben Trumau mae'r llwybr yn troi i'r gogledd-ddwyrain nes cyrraedd copa Waun Fach. Trowch i'r de-ddwyrain yn awr a chroesi tir mawnog i gyrraedd Pen y Gadair Fawr. Daw'r llwybr yn fwy eglur unwaith eto wrth ddilyn ymyl y goedwig a dal yn yr un cyfeiriad cyn troi mymryn i'r de i groesi Pen Twyn Mawr. Dilynwch ymyl y goedwig i'r de-ddwyrain am tua thri chwarter milltir (1.2 kilometr) nes cyrraedd carnedd uwchlaw Pen Gwyllt Meirch (CG 247255). Trowch i'r dde (de-orllewin) ac i lawr trwy rug nes cyrraedd llwybr da sy'n arwain at ffordd y goedwig (CG 243246). Croeswch y ffordd a dilyn wal i'r chwith trwy'r coed i'r caeau islaw. Pan gyrhaeddwch y goedwig unwaith eto (CG 238239), trowch i'r chwith ar hyd y llwybr sy'n dilyn ymyl y goedwig am tua 300 llath (chwarter kilometr) cyn troi i'r dde ac i lawr dros yr afon at y ffordd. Croeswch at y ffordd uchaf a throi i'r chwith i ddychwelyd i'r man cychwyn.

Mynydd Du

Mynydd: Twmpa, 2231 tr / 680 m (87); Rhos Dirion, 2339 tr / 713 m (68); Chwarel y Fan, 2198 tr / 670 m (95); Mynydd Du, 2297 tr / 700 m (73)

Map: MO 161, OL 13: CG 225350, CG 211334, CG 259293, CG 255354

Man Cychwyn: Bwlch yr Efengyl sef y bwlch rhwng Twmpa a Ffynnon y Parc, tua 5 milltir i'r de o'r Gelli Gandryll, CG 237350. Maes parcio.

Pellter: 14 milltir / 22.4 kilometr. **Esgyniad:** 2400 tr / 732 metr

Amser: 5-8 awr

Taith: O'r bwlch uwchlaw'r maes parcio, mae llwybr clir yn arwain i gopa Twmpa tua'r gorllewin. Gwaith hawdd yw cerdded o'r fan hon at y piler triongli ar Ros Dirion ychydig dros filltir (rhyw 1.8 kilometr) i'r de-orllewin. Trowch wedyn i'r de-ddwyrain a dilyn y gefnen hir uwchlaw cronfa ddŵr Grwyne Fawr am agos i bedair milltir (6 kilometr) i gopa Chwarel y Fan. Trowch yn ôl i'r gogledd-orllewin unwaith eto, ac ymhen tri chwarter milltir gwelir llwybr yn igam-ogamu tua'r gogledd i lawr i Ddyffryn Ewyas. Pan gyrhaeddwch y lôn trowch i'r dde i gyfeiriad Capel-y-ffin. Trowch i'r chwith wrth y gyffordd nesaf a chroesi pont. O'r fan hon gallech gerdded ar hyd y ffordd yn ôl at y maes parcio, pe dymunech. Fel arall, dilynwch y lôn ar y dde yn ymyl yr eglwys gan groesi Afon Honddu. Ewch yn eich blaen i'r de-ddwyrain i gyfeiriad fferm Ty'r-onen a dilynwch y llwybr sydd yn dringo'r llethrau serth i'r gogledd gan ymuno â Llwybr Clawdd Offa. Byddwch yn cerdded yn Lloegr yn y fan hon. Trowch i'r chwith a dilyn y Llwybr am ddwy filltir (3.2 kilometr) i gopa'r Mynydd Du, lle nad oes dim i ddangos y pwynt uchaf. Arhoswch ar Lwybr Clawdd Offa nes ei fod yn dechrau gadael y gefnen. Cerddwch i'r gogledd-orllewin, gan aros ar y gefnen, nes cyrraedd piler triongli Hay Bluff. Oddi yma mae llwybr yn dilyn ymyl Ffynnon y Parc yn ôl i'r maes parcio.

13. Bannau Brycheiniog

Dyma fynyddoedd mwyaf trawiadol a mwyaf poblogaidd De Cymru. A hwy hefyd yw'r uchaf yn y De. Maent yn fynyddoedd hyfryd ac yn hawdd eu cerdded. Mae'r llwybrau'n glir ac mae'r golygfeydd, yn enwedig tua'r gogledd, yn eang ac yn ardderchog. Saif prif fynyddoedd y grŵp, sydd yn cynnwys Pen y Fan a Chorn Du, yn agos i'r ffordd fawr o Aberhonddu i Ferthyr Tudful a gellir eu cyrraedd yn hawdd o'r bwlch. Nid dyma'r ffordd orau i'w gweld a'u gwerthfawrogi, fodd bynnag, a thaith arall a awgrymir yma. Ar ochr orllewinol y ffordd fawr mae rhagor o fynyddoedd — Fan Fawr yn eu plith — sydd yn denu llai o gerddwyr.

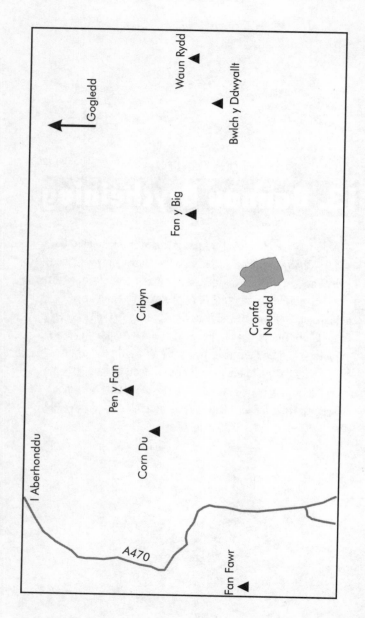

Mynydd: Fan y Big, 2359 tr / 719 m (67); Cribyn, 2608 tr / 795 m (37); Pen y Fan, 2907 tr / 886 m (19); Corn Du, 2864 tr / 873 m (21)

Map: MO 160, OL12: CG 036206, CG 023213, CG 012216, CG 007213

Man Cychwyn: Coedwig Taf Fechan, yn y maes parcio ychydig i'r de o gronfeydd dŵr Neuadd, CG 036171.

Pellter: 8½ milltir / 13.6 kilometr. **Esgyniad:** 2550 tr / 777 metr

Amser: 4-6 awr

Taith: O'r maes parcio, cychwynnwch ar hyd y ffordd darmac i gyfeiriad y cronfeydd dŵr. Gadewch y ffordd a throi ar hyd yr hen ffordd sy'n dilyn ymyl y goedwig tua'r gogledd i'r bwlch dan Fan y Big. Gyferbyn â phen gogleddol y gronfa uchaf, trowch i'r gogledd-ddwyrain a dringo i

ben y grib. Dilynwch y grib i'r gogledd nes cyrraedd copa gwastad Fan y Big. Anelwch wedyn am y bwlch dan Gribyn yn y gorllewin, ac wedi croesi'r hen ffordd, dringwch wrth ochr craig Cwm Cynwyn nes cyrraedd copa caregog Cribyn. Unwaith eto, ewch i lawr i'r gorllewin at fwlch cyn dringo yn ymyl craig arall – Craig Cwm Sere y tro hwn – at y piler triongli ar gopa Pen y Fan. Mae'r llwybr llydan i'r Corn Du yn y de-orllewin yn tystio i boblogrwydd mynyddoedd uchaf de Cymru. Wedi croesi Bwlch Duwynt i'r de-orllewin, fodd bynnag, cewch fwy o lonydd wrth ddilyn ymyl y gefnen tua'r de-ddwyrain am ddwy filltir (3.2 kilometr) nes cyrraedd llwybr uwchlaw'r gronfa ddŵr isaf (CG 019183) a aiff â chi dros yr argae ac yn ôl at y ffordd sy'n arwain i'r maes parcio.

Mynydd: Fan Fawr, 2408 tr / 734 m (60)

Map: MO 160, OL 12: CG 970193

Man Cychwyn: Canolfan Addysg Awyr Agored Storey Arms ar yr A470 rhwng Aberhonddu a Merthyr, CG 983203.

Pellter: 2 milltir / 3.2 kilometr. **Esgyniad:** 968 tr / 295 metr

Amser: 1-3 awr

Taith: Oherwydd lleoliad hwylus iawn y Ganolfan mae'r daith hon i ben Fan Fawr yn un ddigon didrafferth. Taith fer ydy hi ac nid oes llawer o waith esgyn oherwydd bod y man cychwyn mor uchel. O'r ffordd fawr cerddwch i'r de-orllewin gan anelu am gefnen ogledd-ddwyreiniol y mynydd. Wrth nesu at y copa mae'r tir yn mynd yn fwy serth ac mae clogwyni o bobtu'r llwybr. Uwch y clogwyni mae'r llwybr yn troi tua'r de-orllewin am y copa.

Mynydd: Waun Rydd, 2523 tr / 769 m (46); Bwlch y Ddwyallt, 2474 tr / 754 m (51)

Map: MO 160 ac 161, OL 12: CG 062206, CG 055203

Man Cychwyn: Cronfa Ddŵr Tal-y-bont. Mae lle i barcio yn ymyl yr argae, CG 103205.

Pellter: 7 milltir / 11.2 kilometr. **Esgyniad:** 2031 tr / 619 metr

Amser: 4-6 awr

Taith: O'r gronfa, cychwynnwch ar hyd y ffordd gyferbyn â'r argae a dringo i gyfeiriad y Twyn Du tua'r gorllewin. Mae'r llwybr yn dilyn ymyl coedwig wrth ddringo i'r gefnen. Dilynwch y llwybr da hwn ar hyd y gefnen gan ddringo'n raddol nes cyrraedd y llethrau serth dan gopa Waun Rydd. Mae'r tir yn dechrau lefelu wrth Graig Pwllfa ac yma rhaid troi mwy i'r gogledd-orllewin i gyrraedd y man uchaf, sef y smotyn uchder 769 ar y map, lle mae carnedd. O'r fan hon, cerddwch ychydig i'r de o'r gorllewin nes cyrraedd y bwlch dan Fwlch y Ddwyallt. Dilynwch y llwybr da i'r de-dde-orllewin i gyrraedd copa Bwlch y Ddwyallt. Dychwelwch i'r bwlch dan Waun Rydd. Gellir osgoi copa Waun Rydd ar y ffordd yn ôl trwy gadw at y prif lwybr tua'r dwyrain.

14. Bannau Sir Gâr

Dyma'r grŵp mwyaf gorllewinol o fynyddoedd De Cymru. Nodwedd amlycaf mynyddoedd y prif grŵp wrth i chi nesu atynt yw'r ffordd y syrthiant yn sydyn tua Llyn y Fan Fawr a Llyn y Fan Fach. Fel y grwpiau eraill o fynyddoedd yn Ne Cymru, mae eu pennau yn laswelltog a hawdd eu cerdded, ac yn debyg i Fannau Brycheiniog, caiff rhywun y teimlad ei fod yn sefyll yn uchel uwch y byd wrth edrych i lawr ar y tir amaeth, bryniog oddi tano. I'r gogledd nid oes mynyddoedd uchel eraill i'w gweld: y grŵp agosaf yw grŵp Pumlumon dros 30 milltir i ffwrdd.

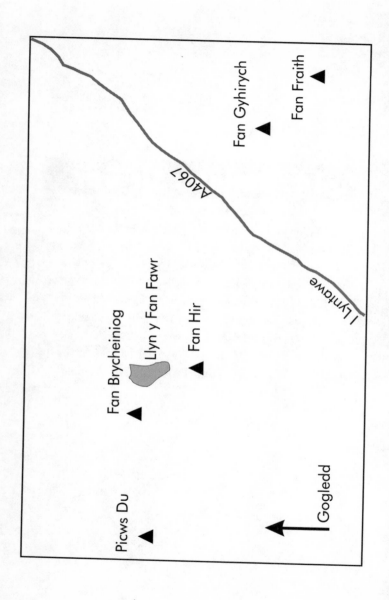

Fan Fraith

Fan Gyhirych

A4067

I Lyntawe

Fan Brycheiniog

Llyn y Fan Fawr

Fan Hir

Picws Du

Gogledd

Mynydd: Fan Hir, 2497 tr / 761 m (48); Fan Brycheiniog, 2631 tr / 802 m (35); Picws Du, 2457 tr / 749 m (55)

Map: MO 160, OL 12: CG 831209, CG 825218, CG 812219

Man Cychwyn: Bwlch Cerrig Duon, 3 milltir i'r gogledd o'r A4067 ger Glyntawe, CG 856223. Mae lle i barcio yn ymyl y ffordd.

Pellter: 9 milltir / 14.4 kilometr. **Esgyniad:** 2034 tr / 620 metr

Amser: 4-6 awr

Taith: O'r bwlch mae llwybr yn mynd dan lethrau Moel Feity i gyfeiriad Llyn y Fan Fawr i'r de-orllewin. Mae'n mynd o gwmpas pen deheuol y llyn ac yna'n dringo'n serth i Fwlch Giedd. Wedi cyrraedd y bwlch trowch i'r chwith a dringo i ben Fan Hir. Dychwelwch i'r bwlch a dringo i ben Fan Brycheiniog lle mae dau gopa o'r un uchder. Mae piler triongli ar y cyntaf a charnedd ar yr ail, sydd tua chwarter milltir (0.4 kilometr) i ffwrdd. Mae Picws Du i'w weld tua milltir (1.6 kilometr) i'r gorllewin ac fe'i cyrhaeddir trwy groesi Bwlch Blaen-twrch a dringo'i lethrau glaswelltog serth.

Picws Du

111

Mynydd: Fan Gyhirych, 2379 tr / 725 m (64); Fan Fraith, 2192 tr / 668 m (98)

Map: MO 160, OL 12: CG 880191, CG 887183

Man Cychwyn: Rhyw ddwy filltir (3.2 kilometr) i'r gogledd o Lyntawe ar yr A4067. Mae cilfan ar ochr dde'r ffordd ychydig cyn cyrraedd twr sydd ar y chwith, CG 870194. **Mae'r llwybr hwn ar gau adeg wyna – rhwng 15 Ebrill a 10 Mai.**

Pellter: 3 milltir / 4.8 kilometr. **Esgyniad:** 1360 tr / 415 metr

Amser: 2-4 awr

Taith: O ben deheuol y gilfan gellir croesi camfa a dringo'n syth i ben Fan Gyhirych ar draws ei llethrau glaswelltog sy'n mynd yn fwyfwy serth wrth nesu at y copa. Gweundir gwastad yw pen y mynydd ac mae piler triongli yno. O'r piler anelwch i'r de-ddwyrain ac ewch i lawr at y ffordd sy'n gwahanu Fan Gyhirych a Fan Fraith. Croeswch y ffordd ac anelu am gopa Fan Fraith. Nid yw'n bell i ben y mynydd hwnnw ond gall y tir fod yn eithaf gwlyb yn y fan hon. Dangosir y man uchaf gan ychydig gerrig. Dychwelwch y ffordd y daethoch.

Cant Cymru

Y Mynyddoedd Yn Nhrefn Yr Wyddor

Enw	Rhif	Uchder	Grŵp	Tud.
Allt Fawr	75	2290/698	Blaenau	*60*
Aran Benllyn	20	2904/885	Aran	*79*
Aran Fawddwy	16	2969/905	Aran	*80*
Arenig Fach	80	2260/689	Arenig	*65*
Arenig Fawr	24	2802/854	Arenig	*66*
Bera Bach	33	2648/807	Carneddau	*16*
Bera Mawr	38	2605/794	Carneddau	*16*
Bwlch y Ddwyallt	51	2474/754	Brycheiniog	*107*
Cadair Berwyn	28	2723/830	Berwyn	*73*
Cadair Bronwen	41	2575/785	Berwyn	*73*
Carnedd Dafydd	4	3412/1044	Carneddau	*20*
Carnedd Llewelyn	3	3491/1064	Carneddau	*18*
Carnedd y Ddelw	82	2257/688	Carneddau	*17*
Carnedd y Filiast (Arenig)	97	2195/669	Arenig	*69*
Carnedd y Filiast (Glyderau)	30	2697/822	Glyderau	*31*
Cnicht	79	2260/689	Blaenau	*57*
Corn Du	21	2864/873	Brycheiniog	*105*

Craig Cwm Amarch	39	2595/791	Cadair Idris	*89*
Craig Cwm Silyn	59	2408/734	Nantlle	*49*
Creigiau Gleision	89	2224/678	Carneddau	*24*
Crib Goch	13	3028/923	Wyddfa	*38*
Crib y Ddysgl	2	3494/1065	Wyddfa	*41*
Cribyn	37	2608/795	Brycheiniog	*105*
Cyrniau Nod	100	2188/667	Berwyn	*75*
Chwarel y Fan	95	2198/670	Mynydd Du	*101*
Diffwys	54	2461/750	Rhinog	*86*
Drosgl	49	2487/758	Carneddau	*16*
Drum	45	2526/770	Carneddau	*17*
Elidir Fawr	14	3018/920	Glyderau	*31*
Esgeiriau Gwynion	94	2201/671	Aran	*81*
Fan Brycheiniog	35	2631/802	Bannau Sir Gâr	*111*
Fan Fawr	60	2408/734	Brycheiniog	*86*
Fan Fraith	98	2192/668	Bannau Sir Gâr	*112*
Fan Gyhirych	64	2379/725	Bannau Sir Gâr	*112*
Fan Hir	48	2497/761	Bannau Sir Gâr	*111*
Fan y Big	67	2359/719	Brycheiniog	*105*
Foel Fras	11	3091/942	Carneddau	*17*

Foel Goch (ger Elidir Fawr)	27	2726/831	Glyderau	*31*
Foel Grach	8	3202/976	Carneddau	*12*
Foel Hafod-fynydd	81	2260/689	Aran	*81*
Foel Wen	77	2267/691	Berwyn	*73*
Gallt yr Ogof	47	2503/763	Glyderau	*33*
Garnedd Goch	74	2297/700	Nantlle	*49*
Garnedd Uchaf	12	3038/926	Carneddau	*17*
Glasgwm	43	2559/780	Aran	*82*
Glyder Fach	6	3261/994	Glyderau	*28*
Glyder Fawr	5	3278/999	Glyderau	*29*
Godor	88	2228/679	Berwyn	*73*
Gwaun y Llwyni	83	2247/685	Aran	*80*
Llwytmor	25	2785/849	Carneddau	*15*
Moel Cynghorion	91	2211/674	Wyddfa	*45*
Maesglase	92	2211/674	Cadair Idris	*91*
Moel Druman	90	2218/676	Blaenau	*60*
Moel Eilio	63	2382/726	Wyddfa	*45*
Moel Hebog	42	2569/783	Nantlle	*52*
Moel Llyfnant	53	2464/751	Arenig	*67*
Moel Siabod	22	2861/872	Blaenau	*59*

Moel Sych	29	2713/827	Berwyn	*73*
Moelwyn Bach	70	2329/710	Blaenau	*58*
Moelwyn Mawr	44	2526/770	Blaenau	*58*
Mynydd Drws-y-coed	76	2280/695	Nantlle	*49*
Mynydd Du	73	2297/700	Mynydd Du	*101*
Mynydd Mawr	78	2264/690	Nantlle	*53*
Mynydd Moel	23	2831/863	Cadair Idris	*89*
Mynydd Perfedd	31	2667/813	Glyderau	*31*
Mynydd Tarw	86	2234/681	Berwyn	*73*
Pen Allt-mawr	66	2359/719	Mynydd Du	*99*
Pen Cerrig Calch	72	2300/701	Mynydd Du	*99*
Pen Llithrig y Wrach	40	2592/790	Carneddau	*22*
Pen Pumlumon Arwystli	58	2431/741	Pumlumon	*95*
Pen Pumlumon Llygad-bychan	62	2385/727	Pumlumon	*95*
Pen y Bryn Fforchog	84	2247/685	Aran	*82*
Pen y Fan	19	2907/886	Brycheiniog	*105*
Pen y Gadair	18	2930/893	Cadair Idris	*89*
Pen y Gadair Fawr	36	2625/800	Mynydd Du	*99*
Pen yr Helgi Du	26	2733/833	Carneddau	*22*
Pen yr Ole Wen	7	3209/978	Carneddau	*21*

Picws Du	55	2457/749	Bannau Sir Gâr	*111*
Pumlumon Fawr	52	2467/752	Pumlumon	*95*
Rhinog Fach	69	2336/712	Rhinog	*85*
Rhinog Fawr	65	2362/720	Rhinog	*85*
Rhobell Fawr	61	2408/734	Arenig	*68*
Rhos Dirion	68	2339/713	Mynydd Du	*101*
Tarren y Gesail	99	2188/667	Cadair Idris	*92*
Tomle	57	2434/742	Berwyn	*73*
Trum y Ddysgl	71	2326/709	Nantlle	*49*
Tryfan	15	3002/915	Glyderau	*27*
Twmpa	87	2231/680	Mynydd Du	*101*
Waun Fach	32	2657/810	Mynydd Du	*99*
Waun-oer	96	2198/670	Cadair Idris	*91*
Waun Rydd	46	2523/769	Brycheiniog	*107*
Y Foel Goch (ger Tryfan)	34	2641/805	Glyderau	*33*
Y Garn (Glyderau)	10	3107/947	Glyderau	*30*
Y Garn (Pumlumon)	85	2244/684	Pumlumon	*95*
Y Llethr	50	2480/756	Rhinog	*85*
Y Lliwedd	17	2946/898	Wyddfa	*42*
Yr Aran	56	2451/747	Wyddfa	*44*

Yr Elen	9	3156/962	Carneddau	*19*
Yr Wyddfa	1	3560/1085	Wyddfa	*37*
Ysgafell Wen	93	2205/672	Blaenau	*60*

Y Mynyddoedd Yn Nhrefn Uchder

RHIF	ENW	UCHDER	GRŴP	TUD
1	Yr Wyddfa	3560/1085	Wyddfa	37
2	Crib y Ddysgl	3494/1065	Wyddfa	41
3	Carnedd Llewelyn	3491/1064	Carneddau	18
4	Carnedd Dafydd	3412/1044	Carneddau	20
5	Glyder Fawr	3278/999	Glyderau	29
6	Glyder Fach	3261/994	Glyderau	28
7	Pen yr Ole Wen	3209/978	Carneddau	21
8	Foel Grach	3202/976	Carneddau	17
9	Yr Elen	3156/962	Carneddau	19
10	Y Garn (Glyderau)	3107/947	Glyderau	30
11	Foel Fras	3091/942	Carneddau	17
12	Garnedd Uchaf	3038/926	Carneddau	17
13	Crib Goch	3028/923	Wyddfa	38
14	Elidir Fawr	3018/920	Glyderau	31
15	Tryfan	3002/915	Glyderau	27
16	Aran Fawddwy	2969/905	Aran	80
17	Y Lliwedd	2946/898	Wyddfa	42

18	Pen y Gadair	2930/893	Cadair Idris	89
19	Pen y Fan	2907/886	Brycheiniog	105
20	Aran Benllyn	2904/885	Aran	79
21	Corn Du	2864/873	Brycheiniog	105
22	Moel Siabod	2861/872	Blaenau	59
23	Mynydd Moel	2831/863	Cadair Idris	89
24	Arenig Fawr	2802/854	Arenig	66
25	Llwytmor	2785/849	Carneddau	15
26	Pen yr Helgi Du	2733/833	Carneddau	22
27	Foel Goch (ger Elidir Fawr)	2726/831	Glyderau	31
28	Cadair Berwyn	2723/830	Berwyn	73
29	Moel Sych	2713/827	Berwyn	73
30	Carnedd y Filiast (Glyderau)	2697/822	Glyderau	31
31	Mynydd Perfedd	2667/813	Glyderau	31
32	Waun Fach	2657/810	Mynydd Du	99
33	Bera Bach	2648/807	Carneddau	16
34	Y Foel Goch (ger Tryfan)	2641/805	Glyderau	33
35	Fan Brycheiniog	2631/802	Bannau Sir Gâr	111
36	Pen y Gadair Fawr	2625/800	Mynydd Du	99
37	Cribyn	2608/795	Brycheiniog	105

38	Bera Mawr	2605/794	Carneddau	*16*
39	Craig Cwm Amarch	2595/791	Cadair Idris	*89*
40	Pen Llithrig y Wrach	2592/790	Carneddau	*22*
41	Cadair Bronwen	2575/785	Berwyn	*73*
42	Moel Hebog	2569/783	Nantlle	*52*
43	Glasgwm	2559/780	Aran	*82*
44	Moelwyn Mawr	2526/770	Blaenau	*58*
45	Drum	2526/770	Carneddau	*17*
46	Waun Rydd	2523/769	Brycheiniog	*107*
47	Gallt yr Ogof	2503/763	Glyderau	*33*
48	Fan Hir	2497/761	Bannau Sir Gâr	*111*
49	Drosgl	2487/758	Carneddau	*16*
50	Y Llethr	2480/756	Rhinog	*85*
51	Bwlch y Ddwyallt	2474/754	Brycheiniog	*107*
52	Pumlumon Fawr	2467/752	Pumlumon	*95*
53	Moel Llyfnant	2464/751	Arenig	*67*
54	Diffwys	2461/750	Rhinog	*86*
55	Picws Du	2457/749	Bannau Sir Gâr	*111*
56	Yr Aran	2451/747	Wyddfa	*44*
57	Tomle	2434/742	Berwyn	*73*

58	Pen Pumlumon Arwystli	2431/741	Pumlumon	95
59	Craig Cwm Silyn	2408/734	Nantlle	49
60	Fan Fawr	2408/734	Brycheiniog	106
61	Rhobell Fawr	2408/734	Arenig	68
62	Pen Pumlumon Llygad-bychan	2385/727	Pumlumon	95
63	Moel Eilio	2382/726	Wyddfa	45
64	Fan Gyhirych	2379/725	Bannau Sir Gâr	112
65	Rhinog Fawr	2362/720	Rhinog	85
66	Pen Allt-mawr	2359/719	Mynydd Du	99
67	Fan y Big	2359/719	Brycheiniog	105
68	Rhos Dirion	2339/713	Mynydd Du	101
69	Rhinog Fach	2336/712	Rhinog	85
70	Moelwyn Bach	2329/710	Blaenau	58
71	Trum y Ddysgl	2326/709	Nantlle	49
72	Pen Cerrig Calch	2300/701	Mynydd Du	99
73	Mynydd Du	2297/700	Mynydd Du	101
74	Garnedd Goch	2297/700	Nantlle	49
75	Allt Fawr	2290/698	Blaenau	60
76	Mynydd Drws-y-coed	2280/695	Nantlle	49
77	Foel Wen	2267/691	Berwyn	73

78	Mynydd Mawr	2264/690	Nantlle	53
79	Cnicht	2260/689	Blaenau	57
80	Arenig Fach	2260/689	Arenig	65
81	Foel Hafod-fynydd	2260/689	Aran	81
82	Carnedd y Ddelw	2257/688	Carneddau	17
83	Gwaun y Llwyni	2247/685	Aran	80
84	Pen y Bryn Fforchog	2247/685	Aran	82
85	Y Garn (Pumlumon)	2244/684	Pumlumon	95
86	Mynydd Tarw	2234/681	Berwyn	73
87	Twmpa	2231/680	Mynydd Du	101
88	Godor	2228/679	Berwyn	73
89	Creigiau Gleision	2224/678	Carneddau	24
90	Moel Druman	2218/676	Blaenau	60
91	Moel Cynghorion	2211/674	Wyddfa	45
92	Maesglase	2211/674	Cadair Idris	91
93	Ysgafell Wen	2205/672	Blaenau	60
94	Esgeiriau Gwynion	2201/671	Aran	81
95	Chwarel y Fan	2198/670	Mynydd Du	101
96	Waun Oer	2198/670	Cadair Idris	91
97	Carnedd y Filiast (Arenig)	2195/669	Arenig	69

98	Fan Fraith	2192/668	Bannau Sir Gâr	*112*
99	Tarren y Gesail	2188/667	Cadair Idris	*92*
100	Cyrniau Nod	2188/667	Berwyn	*75*

Clwb Cant CYMRU

Mewn cydweithrediad ag Urdd Gobaith Cymru, mae'r Lolfa'n gwahodd unrhyw un sydd wedi dringo'r holl fynyddoedd yn y llyfr hwn i ymuno â Clwb Cant Cymru.

Mae modd ymuno drwy lenwi ffurflen bwrpasol, sydd i'w chael o'r Lolfa. Bydd y ffurflen yn mynnu enw tyst i brofi i chi gwblhau'r Cant, ynghyd â'r dyddiad y dringwyd yr holl fynyddoedd.

Rhoddir tystysgrif i bob aelod fel cydnabyddiaeth o'u camp, a gwybodaeth gyson am yr aelodau diweddaraf.

Dyma sialens i bobl o bob oed, ond bydd yn her arbennig i bobl ifanc o dan 25, a rhoddir cydnabyddiaeth ychwanegol gan yr Urdd i'r aelodau ifanc hynny sy'n cwblhau'r Cant cyn diwedd y mileniwm.

Am fanylion pellach cysylltwch â: Lefi Gruffudd, Y Lolfa, Talybont, Ceredigion, SY24 5AP. E-bost: lefi@ylolfa.com

Am restr gyflawn o lyfrau'r wasg, anfonwch am eich copi personol, rhad o'n Catalog lliw-llawn — neu hwyliwch i mewn iddo ar y We Fyd-eang!

Talybont Ceredigion Cymru SY24 5AP
e-bost ylolfa@ylolfa.com
y we http://www.ylolfa.com
ffôn (01970) 832 304
ffacs 832 782
isdn 832 813